De profundis

Oscar Wilde

De profundis

tradução
Oscar Nestarez

ns
São Paulo, 2021

De profundis
The Profundis by Oscar Wilde
Copyright © 2021 by Novo Século Editora Ltda.

Traduzido a partir da edição disponível no Project Gutenberg.

EDITOR: Luiz Vasconcelos
COORDENAÇÃO EDITORIAL E PROJ. GRÁFICO: Nair Ferraz
TRADUÇÃO: Oscar Nestarez
PREPARAÇÃO: Cinthia Zagatto
REVISÃO: Larissa Caldin
ILUSTRAÇÃO DE CAPA: Bruno Novelli
ARTE-FINAL DE CAPA: Luis Antonio Contin Junior

Texto de acordo com as normas do Novo Acordo Ortográfico da Língua Portuguesa (1990), em vigor desde 1º de janeiro de 2009.

Dados Internacionais de Catalogação na Publicação (CIP)
Angélica Ilacqua CRB-8/7057

Oscar, Wilde (1854-1900)
    De profundis / Oscar Wilde; tradução de Oscar Nestarez; ilustração de Bruno Novelli. – Barueri, SP: Novo Século Editora, 2021.

Título original: *The Profundis*

1. Ficção inglesa I. Título. II. Nestarez, Oscar III. Novelli, Bruno

20-4357   CDD-823

Índice para catálogo sistemático:
1. Ficção inglesa 823

‹ns
uma marca do
Grupo Novo Século

Alameda Araguaia, 2190 – Bloco A – 11º andar – Conjunto 1111
CEP 06455-000 – Alphaville Industrial, Barueri – SP – Brasil
Tel.: (11) 3699-7107
www.gruponovoseculo.com.br | atendimento@gruponovoseculo.com.br

NOTA DO EDITOR

Esta edição foi traduzida a partir da versão original, datilografada e enviada para publicação por Robert Ross (1869-1918), jornalista e grande amigo de Oscar Wilde, para a editora Methuen & Co, em 1905. Portanto, a versão que o leitor lerá a seguir é a oficialmente utilizada para edições posteriores em todo o mundo.

No entanto, cabe esclarecer ao leitor que existe uma segunda versão do manuscrito, que chegou a ser enviado para o Lord Alfred Douglas, amante de Oscar Wilde e foco principal desta epístola épica emocional. Essa segunda cópia foi utilizada para a publicação da primeira versão completa, por Vyvyan Holland (1886-1967), filho de Wilde, em 1949.

PREFÁCIO À PRIMEIRA EDIÇÃO

Por um longo tempo, considerável curiosidade tem sido expressa sobre o manuscrito de *De Profundis*, que se sabia estar em minha posse, uma vez que o autor mencionou sua existência a muitos outros amigos. O livro exige pouca introdução e quase nenhuma explicação. Tenho apenas de registrar que foi escrito por meu amigo durante os últimos meses de seu encarceramento, que foi o único trabalho realizado por ele na prisão, e o último trabalho em prosa que ele escreveu (*Balada do Cárcere de Reading* foi composta ou mesmo planejada apenas quando ele retomou sua liberdade). Ao me enviar instruções relativas à publicação de *De Profundis*, Oscar Wilde escreveu[1]:

> "Não defendo minha conduta. Eu a explico. E também há, em minha carta, certas passagens que tratam do meu desenvolvimento mental na prisão, e da inevitável evolução do meu caráter e de minha atitude intelectual diante da vida, que ocorreu lá; e quero que você e outros que ainda se mantêm ao meu lado, e têm afeto por mim, saibam exatamente em qual estado de espírito e de que forma espero enfrentar o mundo.
>
> Claro, sob um ponto de vista, eu sei que no dia de minha libertação vou apenas passar de uma

---

1 Ver carta na íntegra no final deste livro. (N. do E.)

prisão a outra, e há momentos em que todo o mundo a mim não parece maior do que a minha cela, e tão cheio de terrores como ela.

Ainda assim, acredito que, no início, Deus criou um mundo para cada homem em separado, e é nesse mundo, que está dentro de nós, que devemos procurar viver. De qualquer forma, você vai ler aquelas passagens de minha carta com menos dor do que os outros. É claro que não preciso lembrar você do quão fluido é algo pensado dentro de mim – dentro de todos nós – e da substância evanescente de que são feitas as nossas emoções. Mesmo assim, vejo uma espécie de objetivo possível na direção do qual, por meio da arte, posso progredir.

A vida na prisão faz com que vejamos as pessoas e as coisas como elas realmente são. É por isso que somos transformados em pedra. São as pessoas do lado de fora que são enganadas pelas ilusões de uma vida em constante movimento. Elas andam às voltas com a vida e contribuem para sua irrealidade. Nós, que estamos imóveis, tanto vemos quanto sabemos.

Independentemente de a carta apaziguar ou não naturezas e cérebros agitados, para mim ela fez bem. Eu 'limpei meu seio de muitas coisas perigosas'. Não preciso lembrar você de que a mera expressão é, para um artista, o único e supremo modo de vida. É pela declamação que vivemos. Das muitas, muitas coisas pelas quais tenho que agradecer ao Governador, não há nenhuma pela qual eu seja mais grato do que a permissão para escrever de tal forma a você, e na maior extensão que eu desejasse. Por quase dois anos eu havia carregado dentro de mim um fardo crescente de amargura, e agora me livrei de grande parte dele.

Do outro lado dos muros da prisão existem algumas árvores tristes, negras, manchadas de fuligem, que acabam de dar botões de um verde quase estridente. Eu conheço muito bem o que está acontecendo com elas. Estão encontrando expressão."

Ouso esperar que esse fragmento, que demonstra tão vividamente, talvez tão dolorosamente, o efeito da ruína social e do encarceramento em uma personalidade altamente intelectual e artística, vá oferecer a muitos leitores uma impressão diferente do espirituoso e encantador escritor daquelas que até então eles possam ter recebido.

Robert Ross

... O sofrimento é um momento muito longo. Não podemos dividi-lo por etapas. Conseguimos apenas documentar seus estados de ânimo e narrar seus regressos. Conosco, o tempo em si não progride. Ele dá voltas. Parece girar em torno de um centro de dor. A imobilidade paralisante de uma vida em que cada circunstância é regulada por um padrão imutável, de modo que nós comemos, e bebemos, e nos deitamos, e rezamos, ou ao menos nos ajoelhamos para as preces, de acordo com as leis inflexíveis de uma fórmula férrea: esta qualidade imóvel, que faz com que cada terrível dia seja igual, nos mais minuciosos detalhes, ao do seu irmão, parece se comunicar àquelas forças externas cuja verdadeira essência é a mudança incessante. Do tempo de sementeiras ou da colheita, dos ceifadores inclinados sobre o milho, dos vindimadores enfiados pelas vinhas, da relva dos pomares branqueada pelos botões de flor partidos ou repleta de frutos caídos: disso nada sabemos e nada podemos saber.

Para nós, existe apenas uma estação, a estação da dor. O próprio Sol e a Lua parecem nos ter sido tirados. Lá fora, o dia pode ser azul e dourado, mas a luz que rasteja pelo espesso e opaco vidro da pequena janela de barras de ferro abaixo da qual nos sentamos é cinzenta e mesquinha. É sempre crepúsculo na nossa cela, assim como é sempre crepúsculo em nossos corações. E na esfera do pensamento, não menos do que na esfera do tempo, todo movimento cessou. A coisa de que você pessoalmente se esqueceu há muito tempo, ou de que pode se esquecer facilmente, está me acontecendo agora e vai me acontecer de novo amanhã. Lembre-se disso e você poderá entender um pouco do motivo pelo qual estou escrevendo, e escrevendo desta forma...

Uma semana depois, fui transferido para cá. Três meses se passaram e minha mãe morreu. Ninguém sabe o quão profundamente eu a amava e a venerava. Sua morte foi terrível para mim; mas eu, antes um senhor da língua, não tenho palavras com as quais expressar minha angústia e minha vergonha. Ela e meu pai legaram-me um nome que haviam tornado nobre e honrado, não apenas na literatura, na arte, na arqueologia e na ciência, mas na história do meu próprio país, em sua evolução como nação. Eu desonrara eternamente aquele nome. Transformara-o em uma palavra vulgar entre pessoas vulgares. Arrastara-o para a lama. Dera-o a brutos para que o tornassem brutal, e a loucos para que pudessem transformá-lo em um sinônimo de loucura. O que sofri então, e ainda sofro, não cabe à pena descrever ou ao papel registrar. Minha esposa, sempre boa e gentil comigo, não querendo que eu ouvisse as notícias de lábios indiferentes, viajou, apesar de doente, por todo o caminho de Gênova à Inglaterra para pessoalmente me comunicar os fatos de tão irreparável, tão irremediável perda. Recebi mensagens de simpatia de todos que ainda sentiam afeto por mim. Mesmo pessoas que não me conheciam pessoalmente, sabendo que uma nova dor irrompera em minha vida, escreveram para pedir que alguma expressão de suas condolências fosse a mim transmitida...

Três meses se passaram. O calendário de minha conduta e meus trabalhos diários pendurado do lado de fora da cela, no qual estão escritos meu nome e minha sentença, diz-me que é maio...

Prosperidade, prazer e sucesso podem ser grãos toscos e semelhantes na fibra, mas a dor é a mais delicada de todas as coisas criadas. Não há nada no mundo do pensamento a que a dor não vibre em terrível e estranha pulsação. Em comparação, a fina e trêmula folha de ouro que indica a direção de forças que os olhos não podem ver é grosseira. É uma ferida que sangra quando a toca qualquer mão que não a do amor e, mesmo neste caso, deve sangrar de novo, embora não pelo sofrimento.

Onde há dor, há terreno sagrado. Algum dia as pessoas vão entender o que isso significa. Não saberão nada da vida até que o façam. F... e naturezas como a dele podem entendê-lo. Quando fui levado de minha prisão até a Corte de Falências, entre dois policiais, F... me esperava no longo e pavoroso corredor para, diante da multidão, a quem uma atitude tão gentil e simples colocou em silêncio, poder solenemente erguer o chapéu para mim, enquanto, algemado e cabisbaixo, eu passava por ele. Homens têm ido para o céu por menos do que isso. Foi neste espírito, e com esta modalidade de amor, que os santos se ajoelharam para lavar os pés dos pobres, ou se curvaram para beijar um leproso na bochecha. Eu jamais disse a ele uma única palavra sobre o que ele fez. Até o presente momento, não sei se ele sequer tem consciência de que eu reparei em seu ato. Não é coisa pela qual podemos agradecer formalmente com palavras formais. Guardo-a no recôndito dos tesouros no meu coração. Mantenho-a ali como uma dívida secreta que me sinto feliz por pensar que jamais poderei pagar. Está embalsamada e mantida doce pela mirra e pela acácia de muitas lágrimas. Quando a sabedoria se provou inútil a mim, e a filosofia, estéril, e os provérbios e as frases daqueles que buscaram me oferecer alguma consolação foram como pó e cinzas em minha boca, a memória daquele pequenino, carinhoso, silencioso ato de amor abriu para mim todos os poços da piedade: fez o deserto florescer como uma rosa e carregou-me da amargura do solitário exílio para a harmonia com o ferido, alquebrado e grande coração do mundo. Quando as pessoas forem capazes de entender não apenas quão bela foi a atitude de F..., mas por que ela significa tanto para mim e sempre vai significar, então talvez elas percebam como e com qual estado de espírito devem se aproximar de mim...

Os pobres são sábios, mais caridosos, mais compassivos, mais sensíveis do que nós. A seus olhos, a prisão é uma tragédia na vida de um homem, um infortúnio, uma casualidade, algo que conclama a simpatia alheia. Eles falam de alguém que está na prisão como alguém que está "com problemas", apenas. É a frase que sempre usam, e a expressão tem em si a perfeita sabedoria do amor. Com gente de nossa classe é diferente. Entre nós, a prisão transforma um homem em um pária. Eu e aqueles como eu mal temos direito ao ar e ao Sol. Nossa presença contamina os prazeres dos outros. Somos indesejados quando reaparecemos. Voltar a vislumbrar a Lua não é para nós. Nossos próprios filhos são levados. Aqueles amados elos com a humanidade estão rompidos. Negam-nos a única coisa que pode nos curar e ajudar, que pode trazer um bálsamo para o coração ferido e apaziguar a alma mergulhada em dor...

Devo dizer a mim mesmo que me arruinei e que ninguém, grande ou pequeno, pode se arruinar senão pela própria mão. Estou bastante pronto a afirmá-lo. Estou tentando afirmá-lo, embora no presente momento eles possam pensar que não. Essa impiedosa acusação eu a lanço sem piedade contra mim mesmo. Se foi terrível o que o mundo me fez, o que fiz a mim mesmo foi muito mais terrível ainda.

Fui um homem que manteve relações simbólicas com a arte e a cultura de sua época. Eu havia percebido isso por conta própria já na aurora de minha mocidade e, depois, havia forçado a minha época a compreendê-lo. Poucos homens obtêm tal posição em suas próprias vidas e a veem reconhecida. Ela se torna distinguida, se algum dia o chega a ser, graças ao historiador ou ao crítico, muito depois de ambos, o homem e a época, terem desaparecido. Comigo, foi diferente. Eu mesmo a senti e fiz com que outros a sentissem. Byron era uma figura simbólica, mas suas relações eram com a paixão de sua época e com o cansaço dessa paixão. As minhas eram com algo mais nobre, mais permanente, de interesse mais vital, de alcance mais vasto.

Os deuses me deram quase tudo. Mas eu me permiti ser atraído por longos feitiços de disparatado gozo sensual. Entretive-me sendo um *flâneur*, um dândi, um homem da moda. Cerquei-me das mais inferiores naturezas e das mais mesquinhas mentes. Tornei-me o perdulário de meu próprio gênio, e desperdiçar uma eterna juventude me deu estranho júbilo. Cansado de estar nas alturas, eu deliberadamente me lancei nas profundezas em busca de uma nova sensação. O que o paradoxo era para mim na esfera do pensamento, a perversidade se tornou para mim na esfera da paixão. O desejo, no fim, foi uma doença, ou uma loucura, ou ambas. Tornei-me negligente com a vida alheia. Tinha o prazer onde quisesse e passava adiante. Esqueci-me de que cada pequena atitude do dia comum faz ou desfaz o caráter e que, portanto, aquilo que fizemos no quarto secreto devemos, um dia, proclamar bem alto no topo da casa. Eu deixei de ser o senhor de mim mesmo. Não era mais o capitão de minha alma, mas não o sabia. Deixei que o prazer me dominasse. Terminei em horrível desgraça. Só há uma coisa para mim agora: a absoluta humildade.

Jazo na prisão por quase dois anos. De minha natureza já jorrou selvagem desespero; um abandono à dor que causava piedade apenas ao ser testemunhado; fúria terrível e impotente; amargura e desprezo; angústia que chorava alto; tristeza que não conseguia encontrar voz; dor que era muda. Passei por todas as modalidades possíveis do sofrimento. Mais do que o próprio Wordsworth, eu sei o que ele queria dizer quando escreveu:

> *O sofrimento é permanente, obscuro e sinistro*
> *E tem a natureza da infinitude.*

Contudo, ainda que houvesse momentos em que eu me alegrava com a ideia de que meus sofrimentos seriam infindáveis, não podia suportar que não tivessem sentido. Agora encontro, escondido em algum lugar distante de minha natureza, algo a me dizer que nada em todo o mundo é desprovido de sentido; o sofrimento, ainda menos do que qualquer outra coisa. Este algo escondido em minha natureza, como um tesouro em um campo, é a humildade.

É a última coisa que me resta, e a melhor: a descoberta derradeira a que cheguei, o ponto de partida para uma nova jornada. Ela me veio do íntimo de mim mesmo, então sei que surgiu no momento adequado. Não poderia ter vindo antes, nem depois. Se alguém tivesse me falado dela, eu a teria rejeitado. Se fosse trazida a mim, eu a teria recusado. Posto que a encontrei, quero guardá-la. Preciso fazê-lo. É a única coisa que tem em si os elementos da vida, de uma vida nova, uma *Vita Nuova* para mim. De todas as coisas, é a mais estranha. Não podemos adquiri-la, a não ser ao abrirmos mão de tudo o que temos. Somente quando perdemos tudo é que sabemos que a possuímos.

Agora que entendi que ela está em mim, vejo com muita clareza o que preciso fazer; na verdade, o que devo fazer. E, quando uso uma frase como essa, não preciso dizer que não aludo a qualquer sanção ou imposição externa. Não admito nada disso. Sou muito mais individualista do que jamais fui. Nada me parece ter o menor valor com exceção daquilo que extraímos de nós mesmos. Minha natureza está buscando uma nova forma de autorrealização. Isso é tudo com que me preocupo. E a primeira coisa que tenho que fazer é me libertar de qualquer possível sentimento amargo contra o mundo.

Estou sem um tostão sequer e absolutamente sem casa. No entanto, ainda há no mundo coisas piores do que isso. Sou bastante sincero quando digo que, em vez de sair desta prisão sentindo azedume contra o mundo em meu coração, eu, de bom grado e prontamente, mendigaria o meu pão de porta em porta. Se não conseguisse nada na casa do rico, obteria algo na casa do pobre. Aqueles que têm muito são frequentemente gananciosos; aqueles que pouco têm sempre repartem. Não me importaria nem um pouco de dormir na relva amena no verão e, quando o inverno chegasse, abrigar-me no quente aconchego de um palheiro, ou sob o alpendre de um celeiro, desde que eu tivesse amor em meu coração. As coisas externas da vida agora parecem-me não ter importância alguma. Você percebe a qual intensidade de individualismo cheguei – ou melhor, estou chegando, porque a jornada é longa e "há espinhos no chão que piso".

Claro que não chegarei ao ponto de pedir esmolas na estrada e que, se alguma noite me deitar na relva amena, será para escrever sonetos à Lua. Quando eu sair da prisão, R... estará me esperando do outro lado do grande portão de ferro, e ele é o símbolo não apenas de sua própria afeição, mas da afeição de muitos outros mais. Creio que terei o bastante para viver por cerca de dezoito meses, em qualquer caso, de modo que, se eu não escrever belos livros, poderei ao menos ler belos livros; e que alegria seria maior? Depois disso, espero conseguir entreter a minha capacidade criadora.

Mas se as coisas fossem diferentes: se não me restasse um amigo no mundo; se não houvesse uma única casa a mim aberta por piedade; se eu tivesse que aceitar o alforje e o manto andrajoso da extrema penúria: enquanto eu for livre de qualquer ressentimento, dureza e desprezo, serei capaz de encarar a vida com muito mais serenidade e confiança do que o faria se meu corpo estivesse envolto em púrpura e fino linho e, por dentro, a minha alma estivesse nauseada pelo ódio.

E eu realmente não devo ter dificuldades. Quando você de fato busca o amor, você vai encontrá-lo à sua espera.

Não preciso dizer que minha tarefa termina aí. Seria comparativamente fácil se assim fosse. Ainda há muito à minha frente. Tenho colinas muito mais íngremes para escalar, vales muito mais escuros para atravessar. E preciso tirar tudo isso de mim mesmo. Nem a religião, nem a moralidade, nem a razão podem me ajudar o mínimo que seja.

A moralidade não me ajuda. Sou um antinomiano nato. Sou um daqueles que são feitos para as exceções, não para as regras. Mas, enquanto vejo que não há nada errado naquilo que fazemos, vejo que há algo errado naquilo que nos tornamos. É bom ter aprendido isso.

A religião não me ajuda. A fé, que outros devotam ao que é invisível, eu devoto ao que podemos tocar e olhar. Meus deuses habitam templos construídos por mãos; e dentro do âmbito da experiência factual está a minha crença, tornada perfeita e completa: completa demais, talvez, porque, assim como muitos ou todos aqueles que situam seu céu na terra, encontrei nela não apenas a beleza do céu, mas também o horror do inferno. Quando penso em religião, sinto como se quisesse fundar uma ordem para aqueles que não creem: a Confraria dos Incrédulos, podemos chamá-la, na qual, em um altar sem velas ardendo, um padre, em cujo coração a paz não encontrou morada, oficiaria com um pão sem bênção e um cálice sem vinho. Para que sejam verdadeiras, todas as coisas devem se tornar religião. E o agnosticismo deveria ter seu ritual, não menos do que a fé. Já semeou seus mártires, deveria colher seus santos e louvar a Deus todos os dias por Ele ter se ocultado da humanidade. Contudo, seja a fé ou o agnosticismo, nada deve ser externo a mim. Seus símbolos devem ser minha própria criação. Só é espiritual aquilo que elabora a própria forma. Se eu não puder encontrar o seu segredo dentro de mim, jamais o encontrarei: se já não o tenho, ele jamais virá a mim.

A razão não me ajuda. Ela me diz que as leis sob as quais fui condenado são leis erradas e injustas, e o sistema sob o qual tenho sofrido é um sistema errado e injusto. Mas, de alguma forma, preciso fazer com que essas duas coisas sejam justas e corretas para mim. E, exatamente da mesma forma que na arte só nos interessa o que uma determinada coisa é em um determinado momento para nós, assim também se dá a evolução ética de nosso caráter. Preciso fazer com que tudo o que me aconteceu seja bom para mim. A cama simples de tábuas grossas, a comida repugnante, as grossas cordas desfeitas em estopas até os dedos ficarem embotados de dor, as tarefas servis com as quais cada dia começa e termina, as ásperas ordens que a rotina parece impor, o uniforme horrível que torna a dor grotesca de se ver, o silêncio, a solidão, a vergonha – cada uma e todas essas coisas, eu preciso transformar em uma experiência espiritual. Não existe uma única degradação do corpo que eu não deva experimentar e transformar em uma espiritualização da alma.

Quero chegar ao ponto em que possa dizer, de modo bastante simples e sem afetação, que os dois grandes pontos de inflexão na minha vida ocorreram quando meu pai me mandou para Oxford e quando a sociedade me mandou para a prisão. Não direi que a prisão é a melhor coisa que poderia ter me acontecido, porque essa afirmação teria um sabor amargo demais para mim mesmo. Antes, eu diria, ou ouviria ser dito sobre mim, que fui uma cria tão típica de minha época que, em minha perversidade, e em nome dessa perversidade, transformei as boas coisas de minha vida em más e as más coisas de minha vida em boas.

Porém, pouco importa o que é dito por mim ou pelos outros. A coisa importante, a coisa que está diante de mim, a coisa que preciso fazer, se o breve restante de meus dias não for destroçado, arruinado e incompleto, é absorver em minha natureza tudo o que me tem sido feito, é torná-lo parte de mim, aceitá-lo sem queixas, medo ou relutância. O vício supremo é a superficialidade. Tudo o que for apreendido está correto.

Quando fui colocado na prisão pela primeira vez, algumas pessoas me aconselharam a tentar me esquecer de quem eu era. Foi um conselho catastrófico. É somente por entender o que sou que encontro algum tipo de conforto. Agora os outros me aconselham tentar, quando for libertado, esquecer que jamais estive em uma prisão. Eu sei que isso seria igualmente fatal. Significaria que eu seria para sempre assombrado por uma intolerável sensação de desgraça e que aquelas coisas que me são reservadas, tanto quanto para qualquer outra pessoa – a beleza do Sol e da Lua, o desfile das estações, a música do raiar do dia e o silêncio das grandes noites, a chuva caindo em meio às folhagens, ou o orvalho espraiando-se pela relva, prateando-a –, seriam todas manchadas para mim, perderiam seu poder de cura e seu poder de comunicar alegria. Arrependermo-nos de nossas próprias experiências é impedirmos nossa própria evolução. Negarmos nossas próprias experiências é colocarmos uma mentira nos lábios de nossa própria vida. É nada menos do que uma negação da alma.

Pois assim como o corpo absorve coisas de todos os tipos – coisas ordinárias e impuras, não menos do que aquelas que o padre ou uma visão purificou – e as converte na agilidade ou na força, no jogo de belos músculos e na formação da excelente carne, nas curvas e nas cores do cabelo, dos lábios, dos olhos; da mesma forma, a alma, por sua vez, também tem funções nutritivas e pode transformar em nobres estados de pensamentos e em paixões elevadas aquilo que, em si, é rasteiro, cruel e degradante; não, mais do que isso, ela pode encontrar aí seus mais grandiosos modos de se afirmar e pode, com frequência, revelar-se mais perfeitamente por meio daquilo que é destinado a profanar ou destruir.

Devo francamente admitir o fato de eu ter sido um prisioneiro comum de uma prisão comum, e, por estranho que possa parecer, uma das coisas que devo ensinar a mim mesmo é a não ter vergonha disso. Devo aceitá-lo como uma punição, e, se um homem sente vergonha de ter sido punido, poderia, então, jamais ter sido punido. É claro, há muitas coisas pelas quais fui condenado que não fiz, mas também há muitas coisas pelas quais fui condenado que fiz, e há um número ainda maior de coisas na minha vida das quais jamais fui acusado. E, como os deuses são estranhos e nos castigam pelo que temos de bom e humano tanto quanto pelo que temos de mau e perverso, devo aceitar o fato de que somos punidos pelo bem e pelo mal que fazemos. Não tenho dúvidas de que é bastante certo que assim seja. Isso nos ajuda, ou deveria nos ajudar, a compreender e a não nos envaidecer muito a respeito de cada um. E se, então, eu não me envergonho de minha punição, como espero, serei capaz de pensar, e de caminhar, e de viver em liberdade.

Muitos homens ao saírem da prisão carregam-na consigo para o ar livre e a escondem como uma vergonha secreta em seus corações; passado o tempo, como se fossem pobres coisas envenenadas, rastejam para algum buraco e morrem. É triste que o tenham que fazer, e é errado, terrivelmente errado, que a sociedade os force a tanto. A sociedade arroga para si o direito de infligir castigos apavorantes ao indivíduo, mas ela também tem o supremo vício da superficialidade e falha ao perceber o que isso causou. Quando o castigo do homem acaba, deixa-o entregue a si próprio; ou seja, abandona-o no exato momento em que começa seu mais elevado dever para com ele. O castigo está realmente envergonhado de suas próprias ações e evita aqueles que puniu, assim como as pessoas evitam um credor de uma dívida que não conseguem pagar, ou alguém a quem infligiram uma irreparável, uma irremediável dor. De minha parte, posso declarar que, se eu entendo o que sofri, a sociedade deveria entender o que infligiu a mim; e não deveria haver amargura ou ódio de parte alguma.

É claro que sei que, de um ponto de vista, as coisas para mim serão diferentes do que são para os outros; na verdade, elas devem sê-lo, dada a natureza do caso. Os pobres ladrões e párias aprisionados aqui comigo são, em muitos aspectos, mais felizes do que eu. É pequena a vereda na cidadezinha ou no campo que testemunhou seus pecados; para encontrar quem não saiba de nada sobre o que fizeram, eles não precisam ir mais longe do que a distância coberta por um pássaro no voo entre o crepúsculo e a aurora; mas, para mim, o mundo se enrugou ao tamanho de um palmo, e aonde quer que eu vá meu nome está escrito com chumbo nas rochas. Pois eu caminhei, não da obscuridade para a momentânea notoriedade do crime, mas, sim, de uma espécie de eternidade da fama para uma espécie de eternidade da infâmia; e algumas vezes pareceu a mim ser revelado, se é que isso exigia se revelar, que entre a fama e a infâmia há apenas um passo, se tanto.

Contudo, no próprio fato de que as pessoas vão me reconhecer aonde quer que eu vá e vão saber de tudo sobre minha vida, tão longe quanto as histórias alcançarem, eu posso discernir algo bom para mim. Isso vai me forçar à necessidade de mais uma vez afirmar-me como um artista, e o mais cedo que me for possível. Se puder produzir ao menos uma única bela obra de arte, poderei privar a maldade de seu veneno, e a covardia de seu escárnio, e extrairei pela raiz a língua do desdém.

E se a vida for, como certamente é, um problema para mim, eu serei igualmente um problema para a vida. As pessoas devem adotar algumas atitudes para comigo, o que implicará julgamento, tanto para elas próprias quanto para mim. Não preciso dizer que não estou falando de indivíduos em particular. As únicas pessoas com quem eu me importaria de estar agora são os artistas e gente que sofreu: aqueles que sabem o que é a beleza e aqueles que sabem o que é a dor; ninguém mais me interessa. Tampouco estou fazendo qualquer exigência da vida. Em tudo o que afirmei, apenas me preocupa minha própria atitude mental diante da vida como um todo; e sinto que não me envergonhar de ter sido castigado é um dos primeiros pontos que preciso atingir, em nome de minha própria perfeição e porque sou tão imperfeito.

Então, tenho de aprender a ser feliz. Uma vez eu já o soube, ou julguei sabê-lo, por instinto. Naqueles tempos, era sempre primavera em meu coração. Meu temperamento era inclinado à alegria. Eu enchia a minha vida de prazer até as bordas, como alguém pode encher uma taça de vinho até as bordas. Agora, aproximo-me da vida a partir de um ponto de partida completamente diferente, e até mesmo a concepção da felicidade é, com frequência, extremamente difícil para mim. Lembro-me de ter lido, durante meu primeiro ano em Oxford, no *Renaissance* de Pater – aquele livro que tão estranha influência exercera em minha vida –, como Dante situa nas regiões baixas do inferno aqueles que, por vontade própria, vivem na tristeza; e de ir à biblioteca da universidade e folhear a passagem da *Divina Comédia* em que, sob o terrível pântano, jazem aqueles que eram "taciturnos no doce ar", repetindo eternamente, em meio a seus suspiros:

Tristi fummo
Nell'aer dolce che dal sol s'allegra.

Eu sabia que a Igreja condenava a acídia, mas toda a ideia me parecia um tanto absurda, exatamente o tipo de pecado, imaginei eu, inventado por um padre que não soubesse nada da vida real. Tampouco pude entender como Dante, que diz que "a dor nos coloca de novo em matrimônio com Deus", podia ter sido tão duro com aqueles que tanto se enamoravam da melancolia, se realmente eles existissem. Eu não fazia ideia de que, um dia, isso se tornaria uma das maiores tentações de minha vida.

Enquanto estive na prisão de Wandsworth, eu ansiava por morrer. Era meu único desejo. Quando, depois de dois meses na enfermaria, fui transferido para cá e me vi melhorando gradualmente da saúde física, fui tomado pela raiva. Decidi cometer suicídio no mesmo dia em que deixasse a prisão. Após certo tempo, esse temperamento malévolo passou, e me convenci a viver, mas vestindo a melancolia assim como um rei veste púrpura; nunca mais sorrir de novo; transformar qualquer casa em que eu entrasse em uma casa enlutada; obrigar meus amigos a andarem lenta e tristemente ao meu lado; ensinar-lhes que a melancolia é o verdadeiro segredo da vida; mutilá-los com uma dor estranha; arruiná-los com o meu próprio sofrimento. Agora, sinto-me bem diferente. Vejo que seria tanto ingrato quanto cruel de minha parte fechar a minha cara de tal forma que, quando meus amigos viessem me ver, tivessem que fechar ainda mais as caras deles para me demonstrar sua simpatia; ou, se eu quisesse entretê-los, convidá-los a se sentarem silenciosamente diante de ervas amargas e refeições funéreas. Preciso aprender como ser bem disposto e feliz.

Nas últimas duas ocasiões em que me foi permitido ver meus amigos aqui, tentei ser o mais jovial possível e expressar essa minha jovialidade, de forma a compensar ligeiramente a chateação que tiveram ao percorrer um caminho tão longo desde a cidade para me ver. É apenas uma ligeira retribuição, eu sei, mas é, sinto-me seguro disso, aquela que mais os agrada. Vi R... por uma hora há uma semana, no sábado, e tentei oferecer a ele a expressão mais completa possível do prazer que realmente senti em nosso encontro. E tenho certeza de que isso, a partir dos modos de ver e das ideias aos quais aqui dou forma, é revelado a mim pelo fato de que agora, pela primeira vez desde o meu encarceramento, sinto um desejo verdadeiro pela vida.

Diante de mim há tanto a fazer que consideraria uma terrível tragédia caso eu morresse antes que me fosse permitido completar ao menos um pouco disso. Vejo novas evoluções na arte e na vida, das quais cada uma é um modo renovado de perfeição. Desejo viver para poder explorar o que não é nada menos do que um novo mundo para mim. Você quer saber o que é esse novo mundo? Acho que pode adivinhá-lo. É o mundo no qual tenho vivido. A dor, e depois tudo o que ela me ensinou, é meu novo mundo.

Eu costumava viver inteiramente pelo prazer. Evitava sofrimentos e dores de todos os tipos. Odiava ambos. Resolvi ignorá-los o máximo possível: quero dizer, tratá-los como modos de imperfeição. Não faziam parte do meu esquema de vida. Não tinham lugar em minha filosofia. A minha mãe, que conhecia a vida como um todo, com frequência recitava para mim os versos de Goethe – escritos por Carlyle em um livro que ele dera a ela, anos atrás, e também por ele traduzidos, imagino:

Quem nunca comeu o pão a sofrer,
Quem nunca passou as horas da meia-noite

Em lágrimas, à espera do alvorecer,
Não vos conhece, potências celestes.

Eram os versos que aquela nobre rainha da Prússia, a quem Napoleão tratara com tão áspera brutalidade, costumava recitar em sua humilhação e seu exílio; eram os versos que minha mãe frequentemente recitava diante dos problemas de seus últimos anos. Eu absolutamente me recusava a aceitar ou admitir a enorme verdade neles escondida. Não era capaz de entendê-la. Lembro-me bastante bem de como costumava dizer-lhe que não queria comer o meu pão a sofrer, ou passar qualquer noite em lágrimas na vigília de uma aurora ainda mais amarga.

Eu não tinha ideia de que essa era uma das coisas reservadas a mim pelo destino: que, ao longo de todo um ano de minha vida, eu quase não faria outra coisa. Mas tal foi o quinhão que me coube; e durante esses últimos meses, depois de terríveis dificuldades e lutas, tenho sido capaz de compreender algumas das lições ocultas no coração da dor. Clérigos e pessoas que usam frases sem sabedoria às vezes falam do sofrimento como um mistério. Ele é, na verdade, uma revelação. Discernimos coisas que jamais havíamos discernido. Encaramos toda a história sob uma perspectiva diferente. O que sentíamos vagamente a respeito da arte, por meio do instinto, é intelectualmente e emocionalmente concebido com perfeita clareza de visão e absoluta intensidade de apreensão.

Agora eu vejo que a dor, sendo a emoção suprema de que o homem é capaz, é ao mesmo tempo o tipo e o teste de toda grande arte. O que o artista sempre busca é a forma de existência na qual a alma e o corpo são unos e indivisíveis; na qual o exterior exprime o interior; na qual a forma revela. Não são poucos os tais modos de existência: a juventude e as artes preocupadas com a juvenilidade podem servir de modelo para nós em certo momento; em outro, podemos querer pensar que, em sua sutileza e sensibilidade de impressão, sua sugestão de um espírito habitando coisas externas e vestindo-se de terra e ar, de bruma e cidade igualmente, e na mórbida simpatia de seus temperamentos, e tons, e cores, a moderna arte da paisagem está concebendo para nós, pictoricamente, o que foi concebido em perfeição plástica pelos gregos. A música, na qual todo tema é absorvido em expressão e dela não pode ser separado, é um exemplo complexo e uma flor ou uma criança são um exemplo simples do que quero dizer; mas a dor é o tipo extremado tanto na vida quanto na arte.

Por trás da alegria e do riso pode haver um temperamento áspero, duro e insensível. Mas por trás da dor há sempre dor. Diferentemente do prazer, o sofrimento não usa máscaras. A verdade na arte não é qualquer correspondência entre a ideia essencial e a existência acidental; não é a semelhança da forma com a sombra, ou da forma espelhada no cristal à forma em si; não é um eco vindo de uma colina vazia, não mais do que é um lago prateado no vale que mostra a Lua à Lua e Narciso a Narciso. A verdade na arte é a unidade de uma coisa consigo mesma: o exterior tornado expressivo do interior; a alma encarnada; o corpo indistinto do espírito. Por esse motivo, não existe verdade comparável à dor. Há ocasiões em que a dor me parece ser a única verdade. Outras coisas podem ser ilusões dos olhos ou do apetite, feitas para cegar aquele e enfastiar este, mas da dor foram feitos os mundos, e no nascimento de uma criança ou de uma estrela há dor.

Mais do que isso, há na dor uma realidade intensa, extraordinária. Já afirmei ter sido alguém que manteve relações simbólicas com a arte e a cultura de minha época. Não existe um único homem desgraçado aqui comigo, neste lugar desgraçado, que não mantenha uma relação simbólica com o próprio segredo da vida. Porque o segredo da vida é o sofrimento. É o que está oculto por trás de tudo. Quando começamos a viver, o que nos é doce é tão doce, e o que nos é amargo é tão amargo, que nós inevitavelmente dirigimos todos os nossos desejos na direção do prazer e procuramos não somente "alimentarmo-nos por um mês ou dois de favos de mel", mas por todos os nossos anos nunca mais provar outra comida, ignorando durante esse tempo que talvez estejamos matando nossa alma de fome.

Lembro-me de conversar sobre esse assunto com uma das mais belas personalidades que já conheci: uma mulher cuja simpatia e cuja nobre gentileza para comigo, tanto antes quanto desde a tragédia de meu aprisionamento, excedem tudo o que as palavras poderiam exprimir; alguém que realmente me ajudou, embora ela não o saiba, a carregar o fardo de meus problemas, mais do que qualquer outra pessoa em todo o mundo o fez, e tudo apenas graças ao mero fato de sua existência, graças a ela ser quem é – em parte um ideal, em parte uma influência: uma sugestão daquilo em que podemos nos transformar, assim como uma verdadeira ajuda para nos transformarmos; uma alma que torna doce o ar e que faz com que o espiritual pareça tão simples ou natural quanto a luz do Sol ou o mar; alguém para quem a beleza e a dor caminham de mãos dadas e têm a mesma mensagem. Na ocasião em que estou pensando, lembro-me distintamente de como disse a ela que havia, em uma rua estreita de Londres, sofrimento suficiente para mostrar que Deus não ama o homem e que onde houvesse qualquer dor, ainda que fosse a da criança chorando em algum pequeno jardim por um erro que cometeu ou não, toda a face da criação era completamente arruinada. Eu estava totalmente errado. Ela me alertou, mas não pude acreditar. Eu não estava na esfera em que tal crença podia ser alcançada. Agora me parece que o amor é a única explicação possível para a extraordinária quantidade de sofrimento existente no mundo. Não sou capaz de conceber outra explicação. Estou convencido de que não existe outra e de que, se o mundo foi realmente construído da dor, foi construído pelas mãos do amor, porque não existe outra forma pela qual a alma de um homem, para quem o mundo foi feito, poderia alcançar a plena estatura de sua perfeição. Prazer para o belo corpo, mas dor para a bela alma.

Quando digo que estou convencido dessas coisas, falo com orgulho em demasia. Muito longe, como uma pérola perfeita, podemos ver a cidade de Deus. É tão maravilhosa que parece que uma criança poderia alcançá-la em um dia de verão. E uma criança de fato poderia. Mas para mim, e para aqueles como eu, é diferente. Podemos apreender alguma coisa em um momento, mas a perdemos nas longas horas que se seguem caminhando com pés de chumbo. É tão difícil manter as "alturas que a alma consegue atingir". Pensamos na eternidade, mas nos movemos lentamente através do tempo; e quão lentamente o tempo passa para nós, que jazemos na prisão, não preciso dizer novamente, assim como não preciso falar da exaustão e do desespero que rastejam para dentro de nossas celas e de nossos corações com tal estranha insistência que temos, por isso, de preparar e varrer nossas casas para suas chegadas, como para um convidado indesejado, ou um amo amargo, ou um escravo de quem o destino nos faz escravos.

E, embora agora os meus amigos possam achar difícil de acreditar, é verdade, ainda assim, que para eles que vivem em liberdade, e ociosidade, e conforto é mais fácil aprender a lição da humildade do que para mim, que começo o dia colocando-me de joelhos e esfregando o piso da minha cela. Porque a vida na prisão, com suas privações e restrições sem fim, nos torna rebeldes. E o que essa vida tem de mais terrível não é que ela destroça nosso coração – corações são feitos para serem destroçados –, mas que ela transforma nosso coração em pedra. Às vezes, sentimos que só conseguiremos atravessar o dia com uma expressão cínica e um sorriso opaco. Aquele que se encontra em estado de rebelião não pode receber a graça, para usar uma frase da qual a Igreja gosta tanto – com tanta razão, ouso dizer –, pois na vida, como na arte, o temperamento da rebelião bloqueia os canais para a alma e veda a entrada dos ares celestes. Contudo, preciso aprender essas lições aqui, se devo aprendê-las em algum lugar, e devo encher-me de alegria se meus pés estiverem no caminho certo e se minha face estiver voltada para "a porta que é chamada de bela", ainda que eu muitas vezes possa afundar na lama e me perder na névoa.

Esta Vida Nova, como graças ao meu amor por Dante às vezes gosto de chamá-la, não é, naturalmente, vida nova nenhuma, mas apenas a continuação, em termos de desenvolvimento e evolução, da minha vida pregressa. Lembro-me, quando estava em Oxford, de dizer a um de meus amigos, em uma manhã no ano anterior ao que me graduei, enquanto passeávamos pelas alamedas estreitas infestadas por pássaros perto da Madalena, que eu queria comer a fruta de todas as árvores dos jardins do mundo e que iria para a vida com essa paixão na alma. De fato, saí e dessa forma vivi. Meu único erro foi ter me confinado exclusivamente nas árvores daquele que parecia, para mim, o lado ensolarado do jardim e ter evitado o outro lado por suas sombras e sua tristeza. Fracasso, desgraça, pobreza, dor, desespero, sofrimento, mesmo lágrimas, as palavras quebradas que chegam dolorosas aos lábios, remorso que nos faz caminhar sobre espinhos, consciência que condena, autocomiseração que castiga, a infelicidade que cobre a cabeça de cinzas, a angústia que escolhe vestir um pano de saco e coloca fel na água que bebe: tudo isso eram coisas de que eu tinha medo. E, posto que eu havia decidido não saber nada delas, fui forçado a prová-las uma de cada vez, a me alimentar delas e a não ter, por toda uma estação, nenhum outro alimento.

Não me arrependo por um momento sequer de ter vivido para o prazer. Eu o fiz totalmente, como devemos fazer tudo o que fazemos. Não existiu prazer que eu não experimentasse. Lancei a pérola da minha alma em uma taça de vinho. Caminhei pela alameda das prímulas ao som de flautas. Vivi de favos de mel. Mas continuar com a mesma vida teria sido errado, porque teria significado limitar-me. Tive que ir além. A outra metade do jardim também guardava seus segredos para mim. É claro que tudo isso está previsto e prefigurado em meus livros. Parte está em *O príncipe feliz*, parte em *O jovem rei*, notadamente na passagem em que o bispo diz ao rapaz ajoelhado: "Não é Aquele que fez a miséria mais sábio do que tu?", uma frase que, quando a escrevi, pareceu-me pouco mais do que uma frase; uma grande parte disso está oculta na nota de desgraça que, como um fio púrpura, permeia a tessitura de *O retrato de Dorian Gray*; em *O crítico como artista*, mostra-se em muitas cores; em *A alma do homem* está escrita, e em letras bem fáceis de ler; é um dos refrões cujos motivos recorrentes fazem com que *Salomé* soe tanto como uma peça musical e a amarrem como uma balada; está encarnada no poema em prosa do homem que, do bronze da imagem do "Prazer que vive apenas um momento", tem que ser feita a imagem da "Dor que permanece para sempre". Não poderia ter sido de outra forma. Em cada momento de nossa vida nós somos o que seremos, não menos do que aquilo que fomos. A arte é um símbolo, porque o homem é um símbolo.

Esta é, se eu puder plenamente atingi-la, a suprema realização da vida artística. Porque a vida artística é somente autodesenvolvimento. A humildade no artista é sua franca aceitação de todas as experiências, assim como o amor no artista é apenas o sentimento da beleza que revela ao mundo seu corpo e sua alma. Em *Mario o Epicurista*, Pater busca reconciliar a vida artística com a vida da religião, no profundo, doce e austero sentido do termo. Mas Mario é pouco mais do que um espectador: um espectador ideal, é verdade, e alguém a quem é concedido "contemplar o espetáculo da vida com as emoções apropriadas", o que Wordsworth define como o verdadeiro objetivo do poeta; ainda assim, meramente um espectador, e talvez um pouco ocupado demais com a graciosidade dos bancos do santuário para notar o santuário da dor que ele está contemplando.

Vejo uma conexão muito mais íntima e imediata entre a verdadeira vida de Cristo e a verdadeira vida do artista; e sinto um aguçado prazer na reflexão de que, muito antes de a dor tomar para si os meus dias e atar-me à sua roda, eu escrevera em *A alma do homem sob o socialismo* que aquele que quisesse levar uma vida como a de Cristo deveria ser inteira e absolutamente ele próprio. Tomara como meus tipos não apenas o pastor nas encostas das colinas e o prisioneiro em sua cela, mas também o pintor para quem o mundo é um desfile e o poeta para quem o mundo é uma canção. Lembro-me de certa vez dizer a André Gide, enquanto nos sentávamos em algum café em Paris, que, enquanto a metafísica tinha pouco interesse real para mim e a moralidade tinha absolutamente nenhum, não havia nada que Platão ou Cristo disseram que não pudesse ser imediatamente transferido para a esfera da arte e lá encontrar sua plena realização.

Tampouco não é somente porque podemos discernir em Cristo aquela íntima união de personalidade e perfeição que forma a distinção real entre o movimento clássico e romântico na vida, mas a verdadeira base de sua natureza era a mesma que a da natureza do artista – uma imaginação intensa e flamejante. Ele praticou em todo o âmbito das relações humanas aquela simpatia imaginativa que, no âmbito da arte, é o único segredo da criação. Ele entendeu a lepra do leproso, a escuridão do cego, a indigência feroz daqueles que vivem para o prazer, a estranha pobreza dos ricos. Alguém, em um momento conturbado, escreveu-me: "Quando você não está em seu pedestal, você não é interessante". Quão distante estava quem o escreveu daquilo que Matthew Arnold chama de "o segredo de Jesus". Um ou outro lhe teria ensinado que tudo o que acontece aos outros acontece a nós e que, se você quiser uma inscrição para ler ao amanhecer e à noite, por prazer ou por dor, escreva nas paredes de sua casa, em letras para o Sol dourar e a Lua pratear: "O que acontece a mim, acontece aos outros."

O lugar de Cristo é, realmente, entre os poetas. Toda a sua concepção de humanidade brotou diretamente da imaginação e só pode ser compreendida por ela. O que Deus foi para o panteísta, o homem foi para ele. Foi o primeiro a conceber as raças divididas como uma unidade. Antes de seu tempo, houvera deuses e homens, e, sentindo, através do misticismo da simpatia, que em si mesmo cada um fora encarnado, ele se batizou o Filho de um ou o Filho de outro, de acordo com seu estado de espírito. Mais do que qualquer outra personagem na história, ele desperta em nós aquela faculdade de admirar, à qual o romance sempre exorta. Para mim, ainda há algo quase inacreditável na ideia de um jovem camponês da Galileia imaginar que poderia carregar em seus próprios ombros o fardo de todo o mundo – tudo o que fora feito e o que fora sofrido, e tudo o que ainda seria feito e sofrido: os pecados de Nero, de César Bórgia, de Alexandre VI e daquele que foi Imperador de Roma e Sacerdote do Sol; os sofrimentos daqueles cujos nomes são legião e daqueles cuja habitação está em meio a túmulos; nacionalidades oprimidas, crianças nas fábricas, ladrões, pessoas na prisão, párias, aqueles emudecidos pela opressão e cujo silêncio só é ouvido por Deus – e não apenas imaginá-lo, mas de fato realizá-lo, para que no presente momento todos os que entram em contato com sua personalidade, ainda que não se inclinem diante de seu altar ou se ajoelhem aos pés de seu padre, de alguma forma descubram que a feiura de seus pecados é levada embora e que a beleza de suas dores lhes é revelada.

Disse eu que o lugar de Cristo é com os poetas. Isto é verdade. Shelley e Sófocles lhe fazem companhia. Mas toda sua vida também é o mais maravilhoso dos poemas. Para "piedade e terror", não há nada equivalente em todo o ciclo das tragédias gregas. A absoluta pureza do protagonista eleva todo o esquema a uma altura de arte romântica da qual os sofrimentos de Tebas e a linhagem de Pélops são excluídos, pelo seu próprio horror, e mostra o quão errado estava Aristóteles quando disse em seu tratado sobre o drama que seria impossível suportar o espetáculo do sofrimento de uma personagem inocente. Nem em Ésquilo e em Dante, aqueles austeros mestres da ternura, ou em Shakespeare, o mais puramente humano de todos os grandes artistas, ou em toda a mitologia e a lenda celtas, em que os encantos do mundo são mostrados em meio a um véu de lágrimas e a vida de um homem não é nada mais do que a vida de uma flor, existe algo que, pela pura simplicidade do *pathos* casada e unida com a sublimidade do efeito trágico, pode se dizer que iguale ou mesmo se aproxime do último ato da paixão de Cristo. A pequena ceia com seus companheiros, um dos quais já o havia vendido por um valor; a angústia no jardim silencioso, banhado pelo luar; o falso amigo aproximando-se dele para traí-lo com um beijo; o amigo que ainda acreditava nele, e sobre quem, como sobre uma pedra, ele esperara erguer uma casa de refúgio para o homem, negando-o enquanto o pássaro cantava o alvorecer; sua própria solidão absoluta, sua submissão, sua resignação a tudo; e, com isso, todas aquelas cenas como a do sumo sacerdote da ortodoxia rasgando, furioso, as próprias vestimentas, e o magistrado da justiça civil exigindo água na vã esperança de se limpar daquela marca de sangue inocente que faz dele a figura escarlate da história; a dolorosa cerimônia de coroação, uma das coisas mais maravilhosas de todos os tempos; a crucificação do inocente diante dos olhos de sua mãe e do discípulo amado; os soldados jogando e lançando dados por suas vestes; a terrível morte pela qual ele deu ao mundo seu símbolo mais eterno; e seu sepultamento final no túmulo do homem rico, seu corpo envolvido em linho egípcio com iguarias e perfumes dispendiosos, como se houvesse sido o filho de um rei. Quando contemplamos tudo isso apenas do ponto de vista da arte, não podemos deixar de sentir gratidão pelo fato de o supremo ofício da Igreja ser a interpretação da tragédia sem o derramamento de sangue: a apresentação mística, por meio do diálogo e do figurino, e mesmo dos gestos, da Paixão de seu Senhor; e para mim é sempre uma fonte de prazer e assombro lembrar que a última sobrevivência do coral grego, perdido para sempre na arte, deva ser encontrada no acólito respondendo ao padre na missa.

No entanto, toda a vida de Cristo – tão inteiramente que podem a dor e a beleza se unificar em seu sentido e sua manifestação – é realmente um idílio, embora se encerre com o véu do templo sendo destruído, e com a escuridão pairando na face da Terra, e a pedra rolando até a entrada do sepulcro. Sempre pensamos nele como um jovem noivo com seus companheiros, como de fato ele se descreve em algum lugar; como um pastor vagando por um vale com seus cordeiros em busca de pasto verde ou riacho fresco; um cantor tentando erguer a partir da música as muralhas da Cidade de Deus; ou um amante para cujo amor o mundo todo era pequeno demais. Seus milagres parecem-me tão extraordinários quanto a chegada da primavera, e igualmente naturais. Não vejo dificuldade nenhuma em acreditar que tamanho era o encanto de sua personalidade que sua mera presença podia trazer paz às almas angustiadas, e que aqueles que tocavam suas vestes ou suas mãos esqueciam-se de suas dores; ou que, quando ele passava pela estrada da vida, pessoas que jamais haviam visto nada dos segredos da vida viam-nos claramente, e outros que eram surdos a todas as vozes a não ser a do prazer ouviam pela primeira vez a voz do amor e a descobriam tão "musical quanto o alaúde de Apolo"; ou que aquelas paixões malévolas debandavam ante sua aproximação, e homens cujas vidas torpes e sem imaginação eram nada além de uma forma de morte erguiam-se, por assim dizer, da sepultura quando ele os chamava; ou que, quando ele pregava na encosta da colina, a multidão se esquecia da fome, da sede e das preocupações deste mundo, e que, para os amigos que o ouviam enquanto se sentavam à mesa, a mais rude comida parecia requintada e a água tinha o sabor de um bom vinho, e toda a casa se tornava plena do odor e da doçura do nardo.

    Renan, em seu *La Vie de Jésus* – aquele gracioso quinto evangelho, o evangelho segundo São Tomé, podemos chamá-lo –, diz que a grande realização de Cristo foi que ele se fez tão amado após sua morte quanto ele fora amado em vida. E certamente, se seu lugar é entre os poetas, ele é o líder de todos os amantes. Ele viu que o amor era o primeiro segredo do mundo, pelo qual os homens sábios estiveram procurando, e que era apenas por meio do amor que nós podíamos nos aproximar quer do coração do leproso, quer dos pés de Deus.

    E, acima de tudo, Cristo é o mais supremo dos individualistas. A humildade, assim como a aceitação artística de todas as experiências, é apenas uma forma de manifestação. É a alma do homem que Cristo sempre busca. Chama-a de "O Reino de Deus" e a encontra em todos. Ele a compara a pequenas coisas, a uma pequenina semente, a um punhado de gérmen, a uma pérola. Isso é assim porque só compreendemos a nossa alma ao nos libertarmos de todas as paixões alheias, de toda a cultura adquirida e de todas as posses externas, sejam elas boas ou más.

Aguentei tudo com alguma deliberada teimosia e uma natureza de muita rebeldia, até que eu não tive nada mais no mundo exceto uma coisa. Havia perdido meu nome, minha posição, minha felicidade, minha liberdade, minha riqueza. Eu era um prisioneiro e um pobre. Mas ainda me restavam meus filhos. De súbito, eles foram tirados de mim pela lei. Foi um golpe tão apavorante que eu não sabia o que fazer, então lancei-me de joelhos, inclinei minha cabeça, chorei e disse: "O corpo de uma criança é como o corpo do Senhor: não sou digno nem de um, nem de outro". Aquele momento pareceu me salvar. Entendi então que a única coisa que me restava era aceitar tudo. Desde então – por mais curioso que sem dúvida seja –, tenho estado mais feliz. Claro, eu havia atingido a minha alma em sua suprema essência. De muitas formas eu havia sido seu inimigo, mas a descobrira esperando por mim como uma amiga. Quando entramos em contato com a alma, tornamo-nos simples como uma criança, como Cristo disse que deveríamos ser.

É trágico como tão poucas pessoas chegam a "possuir suas almas" antes de morrer. "Nada é mais raro em um homem", diz Emerson, "do que um ato propriamente seu". É bem verdade. Muitas pessoas são outras pessoas. Seus pensamentos são as opiniões alheias, suas vidas são uma pantomima; suas paixões, uma citação. Cristo não foi apenas o individualista supremo, mas também o primeiro individualista na história. As pessoas tentaram pintá-lo como um filantropo qualquer, ou colocaram-no como um altruísta entre os científicos e os sentimentais. Mas na verdade ele não foi nem um, nem outro. Piedade ele sentia, claro, pelos pobres, por aqueles que estão trancados em prisões, pelos humildes, pelos miseráveis; mas ele sentia muito mais piedade pelos ricos, pelos duros hedonistas, por aqueles que desperdiçavam a liberdade ao virarem escravos de coisas, por aqueles que usavam trajes macios e viviam em casas de reis. A riqueza e o prazer pareciam a ele ser tragédias realmente maiores do que a pobreza ou a dor. E, quanto ao altruísmo, quem melhor do que ele sabia que é a vocação, e não a vontade, que nos determina, e que não conseguimos colher uvas dos espinhos ou figos dos cardos?

    Viver para os outros como um propósito definido e autoconsciente não era sua crença. Não era a base de sua crença. Quando ele diz "Perdoai vossos inimigos", não é por amor ao inimigo, mas por amor a nós mesmos que ele o faz, e porque o amor é mais belo do que o ódio. Quando ele mesmo diz ao jovem: "Vende tudo o que tens e dá aos pobres", não é na situação dos pobres que ele está pensando, mas na alma do jovem, a alma que a riqueza está arruinando. Em sua visão da vida, ele se une ao artista que sabe que, pela inevitável lei da autoperfeição, o poeta deve cantar, e o escultor pensar em bronze, e o pintor fazer do mundo um espelho de seus estados de espírito, tão seguro e tão certamente quanto o espinheiro precisa florescer na primavera, quanto searas devem se tornar douradas na colheita, e a Lua, em suas ordenadas peregrinações, mudar do escudo para a foice, e da foice para o escudo.

Mas, enquanto Cristo não disse para os homens "Vivei para os outros", ele mostrou que não existe diferença alguma entre as vidas dos outros e a nossa própria vida. Por estes meios, deu ao homem uma personalidade estendida, de um titã. Desde sua vinda, a história de cada indivíduo separado é, ou pode se tornar, a história do mundo. É claro, a cultura intensificou a personalidade do homem. A arte fez miríades de nossa mente. Aqueles dotados de temperamento artístico vão para o exílio com Dante e aprendem que o sal é o pão dos outros, e o quão íngreme são suas escadas; atingem por um momento a serenidade e a calma de Goethe e, no entanto, sabem muito bem que Baudelaire gritou para Deus: *"O Seigneur, donnez-moi la force et la courage / De contempler mon corps et mon coeur sans dégoût*[1]*"*. Dos sonetos de Shakespeare extraem, talvez para seu próprio sofrimento, o segredo do amor do bardo e se apropriam dele; observam com novos olhos a vida moderna, porque escutaram um dos *nocturnes* de Chopin, ou manusearam objetos gregos, ou leram a história da paixão de algum homem morto por alguma mulher morta, cujo cabelo era como finas

---

1 "Oh, Senhor, dai-me a força e a coragem / Para contemplar meu corpo e meu coração sem repugnância." (N. do T.)

tramas de ouro e cuja boca era uma romã. Mas a simpatia do temperamento artístico se envolve necessariamente com o que encontrou expressão. Em palavras ou em cores, em música ou em mármore, por trás das máscaras pintadas de uma peça de Ésquilo, ou em meio aos juncos perfurados e amontoados de algum pastor siciliano, o homem e a sua mensagem precisam ter sido revelados.

Para o artista, a expressão é a única forma pela qual ele pode conceber a vida. Para ele, o que é mudo é morto. Mas para Cristo não era assim. Com uma amplitude e uma imaginação maravilhosa, que quase nos enche de assombro, ele tomou todo o mundo inarticulado, o mundo silencioso da dor, como seu reino, e se transformou em seu eterno porta-voz. Aqueles de quem falei, que são silenciados pela opressão e "cujo silêncio é ouvido por Deus", ele escolheu como irmãos. Ele procurou ser olhos para os cegos, ouvidos para os surdos e um grito nos lábios daqueles cujas línguas foram confinadas. Sua vontade era ser, para as miríades que não encontravam meios de se pronunciar, uma verdadeira trombeta, por meio da qual pudessem clamar pelos céus. E ao sentir, com a natureza artística de alguém para quem o sofrimento e a dor eram formas pelas quais podemos realizar a concepção da beleza, que uma ideia não tem valor até se tornar encarnada e transformada em uma imagem, ele fez de si mesmo a imagem do homem das dores, e como tal tem fascinado e dominado a arte como nenhum deus grego jamais logrou fazer.

Pois os deuses gregos, apesar do branco e do rubro de seus belos e ágeis membros, não eram o que pareciam ser. A fronte recurvada de Apolo era como o disco solar erguendo-se sobre uma colina na aurora, e seus pés, como as asas da manhã, mas ele próprio foi cruel com Mársias e matou os filhos de Níobe. Nos escudos de aço dos olhos de Atena não houve piedade por Aracne; a pompa e os pavões de Hera eram as únicas coisas que nela realmente havia de nobre; e o próprio Pai dos Deuses se tornou enamorado demais das filhas dos homens. As duas figuras mais profundamente sugestivas da mitologia grega foram, para a religião, Demétria, uma deusa terrena, não uma das olímpicas, e, para a arte, Dionísio, filho de uma mulher mortal, para quem o instante do nascimento dele se tornou também o instante da morte.

Mas a própria vida, de sua mais baixa e humilde esfera, produziu uma maravilha muito maior do que a mãe de Prosérpina ou do que o filho de Sêmele. Da oficina do carpinteiro, em Nazaré, viera uma personalidade infinitamente maior do que qualquer uma criada pelo mito e pela lenda, personalidade esta destinada, por estranho que pareça, a revelar ao mundo o significado místico do vinho e as reais belezas dos lírios do campo como nenhuma outra, em Citera ou em Eno, jamais fizera.

O cântico de Isaías, "Ele é desprezado e rejeitado pelos homens, um homem de dores e familiar ao luto: e por assim dizer nós lhe ocultamos nossas faces", parecera-lhe prefigurá-lo a ele próprio, e nele a profecia foi cumprida. Não devemos temer tal frase. Cada obra de arte é a realização de uma profecia: porque cada obra de arte é a conversão de uma ideia em uma imagem. Cada ser humano deveria ser o cumprimento de uma profecia, pois cada ser humano deveria ser a realização de algum ideal, seja na mente de Deus ou na mente do homem. Cristo encontrou o tipo e o fixou, e o sonho de um poeta virgiliano, seja em Jerusalém ou na Babilônia, tornou-se, no longo progresso dos séculos, encarnado naquele por quem o mundo estava esperando.

Para mim, uma das coisas mais lastimáveis da história é que a própria renascença de Cristo, que produziu a catedral de Chartres, o ciclo arturiano de lendas, a vida de São Francisco de Assis, a arte de Giotto e a *Divina Comédia* de Dante, não tenha podido desenvolver suas próprias linhas, já que foi interrompida e arruinada pela terrível Renascença clássica, que nos deu Petrarca, e os afrescos de Rafael, e a arquitetura Palladiana, e a tragédia formal francesa, e a catedral de Saint Paul, e a poesia de Pope, e tudo que é feito de fora e com regras mortas, e não nasce de dentro por meio da fonte de algum espírito. Mas, onde quer que haja um movimento romântico na arte, lá, de alguma forma ou de outra, está Cristo, ou a alma de Cristo. Ele está em *Romeu e Julieta*, no *Conto de inverno*, na poesia provençal, em *A Balada do antigo marinheiro*, em *La Belle Dame sans merci*, e na *Balada da caridade*, de Chatterton.

Nós devemos a ele as coisas e as personalidades mais diversas. *Os miseráveis*, de Hugo, *As flores do mal*, de Baudelaire, o tom de piedade nos romances russos, Verlaine e os poemas de Verlaine, os vitrais, e as tapeçarias, e a obra quatrocentista de Burne-Jones e Morris pertencem a ele não menos do que a torre de Giotto, Lancelot e Guinevere, Tannhäuser, o mármores conturbados e românticos de Michelangelo, a arquitetura ogival e o amor das crianças e das flores – para as quais, na verdade, houve pouco espaço na arte clássica, apenas o suficiente para elas crescerem ou brincarem, mas que, do século XII até os nossos dias, têm aparecido continuamente na arte, sob várias formas e em várias épocas, surgindo caprichosa e deliberadamente, como é próprio das crianças e das flores: a primavera sempre nos dando a impressão de que as flores estiveram se escondendo e que só puderam vir ao Sol porque estavam com medo de que adultos se cansassem de procurá-las e desistissem da busca; e a vida de uma criança sendo não mais do que um dia de abril no qual há, ao mesmo tempo, chuva e Sol para os narcisos.

É a qualidade imaginativa da própria essência de Cristo que faz dele esse palpitante centro do romance. As estranhas figuras do drama poético e da balada são formadas pela imaginação dos outros, mas foi totalmente por sua própria imaginação que Jesus de Nazaré se criou. Na verdade, o clamor de Isaías não tinha mais a ver com a vinda dele do que a canção do rouxinol tem a ver com o nascer da Lua – não mais, ainda que talvez não menos. Ele foi a negação, assim como a afirmação da profecia. Pois, para cada expectativa que ele preencheu, houve outra que destruiu. "Em toda a beleza", afirma Bacon, "existe alguma estranheza de proporção", e, daqueles que nascem do espírito – isto é, daqueles que, como ele, são forças dinâmicas –, Cristo diz que são como o vento que "sopra onde lhe apraz e que nenhum homem pode dizer quando virá ou para qual lugar irá". Por isso ele é tão fascinante aos artistas. Tem todos os elementos que conferem cor à vida: mistério, estranheza, *pathos*, sugestão, êxtase, amor. Ele apela à faculdade de maravilhamento e cria aquele estado de espírito, o único em que ele pode ser entendido.

E para mim é uma alegria lembrar que, se ele é "de imaginação todo compacto", o próprio mundo é da mesma substância. Afirmei, em *O retrato de Dorian Gray*, que os grandes pecados do mundo ocorrem no cérebro; mas é no cérebro que tudo acontece. Nós sabemos, agora, que não vemos com os olhos ou ouvimos com as orelhas. Eles na verdade são canais para a transmissão, adequada ou inadequada, de impressões sensoriais. É no cérebro que o crisântemo é vermelho, que a maçã é perfumada, que a cotovia canta.

Recentemente, ando me dedicando ao estudo dos quatro poemas em prosa acerca de Cristo. No Natal, consegui obter um Testamento Grego, e toda manhã, depois de haver limpado minha cela e polido minhas latas, eu lia um pouco dos Evangelhos, uma dúzia de versículos encontrados ao acaso. É uma forma deliciosa de começar o dia. Todos, mesmo numa vida conturbada, indisciplinada, deveriam fazer o mesmo. A interminável repetição, entra estação, sai estação, estragou para nós o frescor, a ingenuidade, o simples encanto romântico dos Evangelhos. Nós os ouvimos pronunciados com demasiada frequência, e demasiado mal, e toda repetição é antiespiritual. Quando retornamos aos gregos, é como se saíssemos de uma casa estreita e escura para entrarmos em um jardim de lírios.

E, para mim, o prazer é duplicado pela reflexão de que é extremamente provável que tenhamos as verdadeiras palavras, as *ipsissima verba*, usadas por Cristo. Sempre se supôs que Cristo falasse em aramaico. Até Renan pensava assim. Mas agora sabemos que os camponeses da Galileia, assim como os camponeses irlandeses de nossos dias, eram bilíngues, e que o grego era o idioma comum de comunicação em toda a Palestina, assim como na verdade em todo o mundo oriental. Eu jamais gostei da ideia de que só conhecêssemos as palavras de Cristo por meio da tradução de uma tradução. É um deleite para mim pensar que, quanto à conversa, Cármides pode tê-lo ouvido, e Sócrates pode ter argumentado com ele, e Platão pode tê-lo entendido: que ele realmente disse εγω ειμι ο ποιμην ο καλος, e que quando ele pensava em lírios no campo e em como não precisavam nem trabalhar, nem fiar, sua absoluta expressão era καταγαθετε τα κρίνα του αγρου τως αυξανει ου κοπιυ ουδε νηθει, e que sua última palavra quando exclamou "minha vida se completou, atingiu sua plenitude, tornou-se perfeita" foi exatamente como São João nos disse: τετέλεσται – nada mais.

Quando leio os Evangelhos – particularmente o do próprio São João, ou de qualquer gnóstico primevo que usou seu nome e seu manto –, noto a contínua afirmação da imaginação como a base de toda a vida espiritual e material; noto também que, para Cristo, a imaginação era apenas uma forma de amor e que, para ele, o amor era o Senhor no mais amplo sentido da frase. Cerca de seis semanas atrás, o médico me autorizou a comer pão branco em vez do grosseiro pão preto ou marrom ordinariamente servido na prisão. É uma grande delicadeza. Soará estranho que pão seco possa de alguma forma ser uma delicadeza para alguém. Para mim, tanto é que, ao final de cada refeição, eu como cuidadosamente todas as migalhas que sobraram em meu prato de lata, ou que caíram no rude pano que usamos como toalha, para não sujarmos a nossa mesa; e o faço não por fome – agora tenho comida o suficiente –, mas somente para que nada do que me é dado seja desperdiçado. Assim deveríamos olhar para o amor.

Cristo, como todas as personalidades fascinantes, tinha o poder de não apenas dizer belas coisas, mas de fazer outras pessoas dizerem belas coisas para ele; e eu amo a história que São Marcos nos conta sobre a mulher grega que, quando, em um desafio à sua fé, ouviu que Cristo não podia lhe dar o pão dos filhos de Israel, respondeu a ele que os cãezinhos – (κυναρια, "cãezinhos" seria a tradução correta) – que estão sob a mesa comem as migalhas derrubadas pelas crianças. A maioria das pessoas vive para o amor e pela admiração. Mas é pelo amor e pela admiração que deveríamos viver. Se qualquer amor nos é revelado, deveríamos reconhecer que somos bastante indignos dele. Ninguém é digno de ser amado. O fato de que Deus ama o homem nos mostra que, na ordem divina das coisas ideais, está escrito que o amor eterno deve ser dado ao que é eternamente indigno. Ou, se essa frase parece ser amarga, digamos então que todos são dignos do amor, exceto aquele que acha que o é. O amor é um sacramento que se deveria receber de joelhos, e *Domine, nom sum dignus* deveria estar nos lábios e nos corações daqueles que o tomam.

Se algum dia eu voltar a escrever, no sentido de produzir um trabalho artístico, há apenas dois temas sobre os quais, e por meio dos quais, desejo me expressar: um é "Cristo como o precursor do movimento romântico na vida"; o outro é "A vida artística considerada por sua relação com a conduta". O primeiro, claro, é intensamente fascinante, porque vejo em Cristo não apenas a essência do supremo tipo romântico, mas também todos os acidentes, e mesmo a obstinação, do temperamento romântico. Ele foi a primeira pessoa a dizer aos homens que eles deveriam viver "vidas como as das flores". Ele fixou a frase. Tomou crianças como o tipo daquilo que as pessoas deveriam se esforçar para ser. Ergueu-as como exemplos para os mais velhos, o que eu mesmo entendi ser sempre a principal função das crianças, se é que o que é perfeito deve ter alguma função. Dante descreve a alma de um homem como tendo vindo da mão de Deus "chorando e rindo como uma pequena criança", e Cristo também viu que a alma de cada um deveria ser uma *guisa di fanciulla che piangendo e ridendo pargoleggia*. Sentiu que a vida era mutável, fluida, ativa, e que permiti-la estereotipar-se de qualquer forma era a morte. Viu que as pessoas não deveriam preocupar-se demais com os interesses materiais e ordinários; que não ser prático era ser grande coisa; que não deveríamos nos importar demais com os negócios. Os pássaros não se importavam; por que os homens deveriam fazê-lo? Ele é encantador quando diz: "Não penseis no amanhã; não é a alma mais do que carne? Não é o corpo mais do que vestimenta?". Um grego poderia ter usado a última frase, é repleta de sentimentos gregos. Mas apenas Cristo poderia ter dito ambas e, assim, resumir perfeitamente a vida para nós.

Sua moral é toda simpatia, exatamente o que a moral deveria ser. Se a única coisa dita por ele tivesse sido "seus pecados estão perdoados porque ela amou demais", teria valido a pena morrer para dizê-lo. Sua justiça é toda justiça poética, exatamente o que a justiça deveria ser. O pedinte vai ao céu por ter sido infeliz. Não consigo conceber uma razão melhor para ele ser enviado para lá. As pessoas que trabalham por uma hora na vinha ao frescor do entardecer recebem o mesmo pagamento que aquelas que labutaram lá por todo um dia, sob o Sol ardente. E por que não seria assim? Provavelmente ninguém merecia nada. Ou talvez fossem tipos de pessoas diferentes. Cristo não tolerava os sistemas mecânicos tolos e sem vida que tratavam as pessoas como se fossem coisas, e assim as tratavam da mesma forma: para ele, não havia leis; havia apenas exceções, como se qualquer pessoa, ou qualquer coisa, não fosse igual a alguma outra no mundo!

Aquela que é a nota mais importante da arte romântica era, para ele, a própria base da vida natural. Não via nenhuma outra base. E quando lhe trouxeram uma mulher pega em flagrante no ato do pecado, e lhe mostraram a penalidade dela de acordo com a lei, e lhe perguntaram o que deveria ser feito, ele começou a tracejar com o dedo no chão como se não os escutasse e, finalmente, quando o pressionaram, ergueu os olhos e disse:

"Que atire a primeira pedra aquele entre vós que nunca pecou". Valeria a pena viver apenas para dizer isso.

Como todas as naturezas poéticas, ele amava os ignorantes. Sabia que na alma de alguém ignorante há sempre espaço para uma grande ideia. Mas ele não podia suportar pessoas estúpidas, especialmente aquelas que se tornam estúpidas pela via da educação: pessoas que são cheias de opiniões, das quais não entendem uma sequer, um tipo peculiarmente moderno, resumido por Cristo quando ele o descreve como o tipo de pessoa que tem a chave do conhecimento, não é capaz de usá-la e não permite que ninguém mais a use, embora essa chave possa servir para abrir o portão do Reino de Deus. Sua guerra principal foi contra os filisteus. É a guerra que todo filho da luz precisa travar. O filistinismo era a nota da época e da comunidade em que ele viveu. Na sua pesada inacessibilidade às ideias, na sua fastidiosa respeitabilidade, na sua tediosa ortodoxia, na sua veneração ao sucesso vulgar, na sua completa preocupação com o lado grosseiramente materialista da vida e na sua ridícula estima de si mesmos e de sua importância, os judeus de Jerusalém dos tempos de Cristo eram a exata contraparte do nosso filisteu britânico. Cristo zombou dos "sepulcros caiados" da respeitabilidade e fixou essa frase para sempre. Ele tratou o sucesso mundano como algo a ser completamente desprezado. Não via absolutamente nada nele. Olhava para a riqueza como um estorvo para o homem. Não queria saber de a vida ser sacrificada em prol de qualquer sistema de ideias ou moral. Declarou que as formalidades e cerimônias foram feitas para o homem, não o homem para as formalidades e cerimônias. Adotou a prática religiosa de Sabátio como um tipo de coisa que deveria ser aniquilado. As frias atitudes filantrópicas, as caridades ostentadas publicamente, os entediantes formalismos tão caros à mente da classe média, ele os expôs com profundo e implacável desprezo. Para nós, aquilo que é chamado de ortodoxia é apenas uma aquiescência fácil e nada inteligente; mas, para eles, e em suas mãos, era uma terrível e paralisante tirania. Cristo varreu-a do caminho. Mostrou que apenas o espírito tinha valor. Sentia prazer vivaz em apontar-lhes que, apesar de estarem sempre lendo a lei e os profetas, na verdade, não faziam ideia alguma daquilo que ambos significavam. Em oposição a eles fracionarem cada dia separado em uma rotina de tarefas determinadas, como se estivessem fracionando hortelã ou arruda, ele pregava a imensa importância de se viver plenamente o momento.

Aqueles a quem ele salvou do pecado foram salvos apenas por belos momentos de suas vidas. Maria Madalena, quando vê Cristo, quebra o rico vaso de alabastro que um de seus sete amantes havia lhe dado e espalha o bálsamo aromático pelos pés cansados e cheios de poeira e, por causa desse momento, ela se senta para sempre com Ruth e Beatriz em meio às grinaldas de rosas alvas como a neve do Paraíso. Tudo o que Cristo nos diz sob a forma de um pequeno aviso é que cada momento deveria ser belo, que a alma deveria sempre estar pronta para a chegada do enamorado, sempre esperando pela voz do amante; o filistinismo sendo apenas aquele lado da natureza de um homem que não é iluminado pela imaginação. Ele vê todas as influências encantadoras da vida como formas de luz: a própria imaginação é o mundo da luz. O mundo é feito dela, e no entanto o mundo não pode entendê-la: por isso a imaginação é apenas uma manifestação do amor, e são o amor e a capacidade para o amor que distinguem um ser humano de outro.

Mas é quando lida com um pecador que Cristo é mais romântico, no sentido de mais real. O mundo sempre havia amado o santo como se ele estivesse o mais perto possível da perfeição de Deus. Cristo, por meio de algum instinto divino, parece sempre ter amado o pecador como se ele estivesse o mais perto possível da perfeição do homem. Seu desejo principal não era recuperar as pessoas, assim como não era aliviar o sofrimento. Transformar um ladrão interessante em um tedioso homem honesto não era seu objetivo. Ele teria feito pouco caso da Sociedade de Auxílio aos Presos e de outros movimentos modernos do mesmo tipo. A conversão de um publicano em um fariseu não teria sido, para ele, uma grande realização. Mas, de uma forma ainda não compreendida pelo mundo, ele considerava o pecado e o sofrimento como coisas santas e modos de perfeição.

Parece uma ideia bem perigosa. E é – todas as grandes ideias são perigosas. De que essa era a crença de Cristo, não deve haver dúvidas. De que é a verdadeira crença, eu mesmo também não duvido.

É claro que o pecador deve se arrepender. Mas por quê? Apenas porque de outro modo ele não seria capaz de entender o que fez. O momento do arrependimento é o momento da iniciação. Mais do que isso: é o meio pelo qual nós alteramos nosso passado. Os gregos julgavam isso impossível. Eles sempre o diziam em seus aforismos gnômicos: "Nem os Deuses conseguem alterar o passado". Cristo mostrou que o mais ordinário pecador podia fazê-lo, que era a única coisa que ele podia fazer. Se Cristo tivesse sido indagado, teria dito – sinto-me bem seguro em relação a isso – que, no momento em que o filho pródigo caiu de joelhos e chorou, transformou seu esbanjar de posses com prostitutas, seu rebanho de porcos e a disputa voraz pelas cascas que eles comiam em belos e santos momentos de sua vida. É difícil para a maioria das pessoas apreender essa ideia. Ouso dizer que é preciso ser preso para entendê-la. Sendo assim, talvez valha a pena ir para a cadeia.

 Há algo tão único a respeito de Cristo. Claro, assim como há falsas auroras antes da própria aurora, e dias de inverno tão cheios de luz súbita que enganam o cauteloso açafrão e o fazem desperdiçar prematuramente seu dourado, ou levam algum pássaro tolo a construir seu ninho com ramos ainda secos, da mesma forma houve cristãos antes de Cristo. Por isso devemos ser gratos. A coisa a se lamentar é que não houve nenhum desde então. Faço uma única exceção, São Francisco de Assis. Mas, então, Deus havia lhe dado, em seu nascimento, a alma de um poeta, já que ele mesmo, quando ainda bem jovem, tomou, em matrimônio místico, a pobreza como sua noiva: e, com a alma de um poeta e o corpo de um mendigo, ele não encontrou dificuldades no caminho para a perfeição. Entendeu Cristo e então tornou-se como ele. Não precisamos que o *Liber Conformitatum* nos ensine que a vida de São Francisco foi a verdadeira *Imitatio Christi*, um poema comparado ao qual o livro que tem esse nome é mera prosa.

Verdadeiramente, este é o encanto de Cristo, quando tudo está dito: ele é exatamente como uma obra de arte. Na realidade, ele não nos ensina nada, mas, ao sermos levados à sua presença, tornamo-nos algo. E todos são predestinados à sua presença. Ao menos uma vez na vida, cada homem acompanha Cristo a Emaús.

Quanto ao outro assunto, a relação entre a vida artística e a conduta, sem dúvida parecerá estranho a você que eu o escolha. As pessoas apontam para a cadeia de Reading e dizem: "Eis aí aonde a vida artística leva um homem". Bem, ela pode levar a lugares piores. As pessoas mais mecanizadas, para quem a vida é uma sagaz especulação que depende de um cuidadoso cálculo de processos e meios, sempre sabem para onde estão indo e vão. Iniciam com o desejo ideal de serem o pároco local e, não importa a esfera em que são colocadas, conseguem ser o pároco local e nada mais. Um homem cujo desejo é ser algo separado de si mesmo, ser um membro do parlamento, ou um merceeiro próspero, ou um advogado proeminente, ou um juiz, ou algo igualmente entediante, invariavelmente consegue ser o que deseja. Esta é a sua punição. Aqueles que querem uma máscara precisam usá-la.

Mas com as forças dinâmicas da vida, e aqueles em quem essas forças dinâmicas se tornam encarnadas, é diferente. Pessoas cujo desejo é apenas a autorrealização nunca sabem para onde estão indo. Não podem saber.

Em um sentido do termo, claro que é necessário, como o oráculo grego disse, conhecermo-nos: esta é a primeira conquista do conhecimento. Mas reconhecer que a alma de um homem é incognoscível, eis a realização suprema da sabedoria. O mistério final somos nós mesmos. Após pesarmos o Sol na balança, e medirmos com passos a Lua, e mapearmos estrela por estrela os sete céus, ainda resta o nosso eu. Quem é capaz de calcular a órbita de sua própria alma? Quando o filho saiu para procurar pelos asnos do pai, não sabia que um homem de Deus estava esperando-o com a verdadeira crisma da coroação, e que sua própria alma já era a alma de um rei.

Espero viver o suficiente e produzir um trabalho de caráter tal que eu possa, na conclusão de meus dias, dizer: "Sim! Aqui é exatamente onde a vida artística leva um homem!". Duas das vidas mais perfeitas com as quais cruzei em minha própria experiência são as vidas de Verlaine e do príncipe Kropotkin: ambos são homens que passaram anos na prisão: o primeiro, o único poeta cristão desde Dante; o outro, um homem com uma alma daquele belo e alvo Cristo que parece vir da Rússia. E pelos últimos sete ou oito meses, apesar de grandes problemas vindos do mundo exterior me atingirem quase sem interrupção, fui colocado em contato direto com um novo espírito que atua nesta prisão, por meio do homem e das coisas, e que tem me ajudado de forma que palavra alguma pode expressar: de modo que, enquanto ao longo do primeiro ano de meu encarceramento eu não fiz nada além, e não consigo me lembrar de ter feito algo além, de retorcer minhas mãos em desespero impotente e de dizer: "Que fim, que pavoroso fim!", agora tento dizer a mim mesmo e, às vezes, quando não estou me torturando, digo-o real e sinceramente: "Que começo, que maravilhoso começo!". Pode realmente ser assim. Pode vir a ser. Se assim for, deverei muito a essa nova personalidade que alterou a vida de cada homem neste lugar.

Você pode compreendê-lo quando digo que, se eu tivesse sido libertado em maio último, como tentei ser, eu teria deixado este lugar com repugnância dele e de todos os oficiais aqui dentro, com uma amargura de ódio que teria envenenado a minha vida. Fiquei mais um ano preso, mas a humanidade esteve na prisão conosco, e agora, quando sair, sempre vou me lembrar da grande bondade que recebi aqui de quase todo mundo e, no dia de minha libertação, vou agradecer muito a muitas pessoas e pedir para que elas, por sua vez, lembrem-se de mim.

O esquema de vida na prisão é absoluta e inteiramente errado. Eu daria tudo para poder modificá-lo quando sair. Pretendo tentar. Mas não há nada no mundo tão errado que o espírito da humanidade, que é o espírito do amor, o espírito do Cristo que não está nas igrejas, não possa torná-lo, se não certo, ao menos possível de suportar sem tamanha amargura no coração.

Sei também que lá fora me esperam muitas coisas deleitosas, desde o que São Francisco de Assis chama de "Meu irmão, o vento, e minha irmã, a chuva", ambas coisas encantadoras, até as vitrines de lojas e os poentes das grandes cidades. Se eu fizesse uma lista de tudo o que ainda resta para mim, não sei onde deveria me deter: porque, na verdade, Deus fez o mundo para mim da mesma forma que fez para qualquer outra pessoa. Talvez eu possa sair com algo que não tinha antes. Não preciso lhe dizer que, para mim, as correções na moral são tão desprovidas de sentido e vulgares quanto as Reformas na teologia. Contudo, enquanto a proposta de ser um homem melhor é apenas uma expressão sem carga científica alguma, tornar-se um homem mais profundo é o privilégio daqueles que sofreram. E penso ser este o meu caso.

Se, depois de minha libertação, um amigo meu der um banquete e não me convidar, eu não me importarei nem um pouco. Posso ser perfeitamente feliz sozinho. Com liberdade, flores, livros e a Lua, quem não conseguiria ser perfeitamente feliz? Além disso, banquetes não são mais nada para mim. Ofereci-os em demasia para lhes dar qualquer importância. Esse lado da vida está acabado para mim, e, ouso dizer, felizmente. Se, porém, depois de minha libertação, um amigo tivesse alguma dor e não me permitisse compartilhá-la, eu o sentiria muito amargamente. Se ele fechasse as portas da casa do luto para mim, eu voltaria de novo e de novo e imploraria para ser admitido, para que pudesse dividir o que considero ser meu direito dividir. Se ele me julgasse indigno, inapto para chorar a seu lado, eu o sentiria como a mais pungente humilhação, como a forma mais terrível de a desgraça ser infligida a mim. Mas isso não pode acontecer. Tenho direito de compartilhar a dor, e aquele capaz de contemplar os encantos do mundo, e de compartilhar sua dor, e perceber algo da maravilha de ambos, está em contato direto com coisas divinas e está tão próximo do segredo de Deus quanto se pode estar.

Talvez possa atingir também na minha arte, não menos do que na minha vida, uma nota ainda mais profunda, de maior unidade de paixão, e de impulso mais direto. Não é a amplidão, mas, sim, a intensidade o verdadeiro objetivo da arte moderna. Na arte, não estamos mais preocupados com o padrão. É com a exceção que temos de nos haver. Não posso dar aos meus sofrimentos qualquer forma que tenham, quase não preciso dizê-lo. A arte começa apenas onde a imitação termina, mas algo precisa adentrar meu trabalho, de memórias e palavras mais plenas, de cadências mais ricas, de efeitos mais curiosos, de ordem arquitetônica mais simples, de alguma qualidade estética, afinal.

Quando Mársias foi "arrancado da bainha de seus membros" – *della vagina della membre sue*, para usarmos uma das frases mais terrivelmente à moda de Tácito empregadas por Dante –, não tinha mais canção alguma, disseram os gregos. Apolo fora o vencedor. A lira derrotara a flauta. Mas talvez os gregos estivessem errados. Ouço o grito de Mársias em muito da arte moderna. Ele é amargo em Baudelaire, doce e lacrimoso em Lamartine, místico em Verlaine. Ele está nas resoluções diferidas da música de Chopin. Está no descontentamento que assombra as mulheres de Burne-Jones. Até Matthew Arnold, cujo canto de Cálicles fala do "triunfo da doce e persuasiva lira" e da "famosa vitória final", em uma nota de beleza lírica tão clara, tem um pouco dele; e, no perturbado subtom de dúvida e angústia que assombra seus versos, nem Goethe ou Wordsworth puderam ajudá-lo, embora por sua vez ele seguisse cada um deles e, quando procura prantear Tírsis ou cantar o *Scholar Gipsy*, é à flauta que ele recorre para emitir sua tensão. Mas, tenha sido silenciado ou não o Fauno frígio, eu não posso sê-lo. A expressão me é tão necessária quanto as folhas e as flores o são para os galhos negros das árvores que se mostram acima das paredes da prisão e tanto se agitam com o vento. Entre a minha arte e o mundo existe agora um amplo abismo, mas entre a arte e mim mesmo não há nenhum. Pelo menos espero não haver nenhum.

Para cada um de nós foram atribuídos destinos diferentes. O meu quinhão tem sido o da infâmia pública, do longo encarceramento, da miséria, da ruína, da desgraça, mas não sou digno dele – não ainda, de qualquer forma. Lembro-me de que eu costumava dizer que pensava ser capaz de suportar uma tragédia verdadeira, se ela viesse a mim com uma mortalha púrpura e uma máscara de nobre dor, mas que a coisa terrível a respeito da modernidade era que ela colocava na tragédia as vestimentas da comédia, de modo que as grandes realidades pareciam ordinárias, ou grotescas, ou carentes de estilo. Sobre a modernidade, isso é bem verdade. Sobre a vida de fato, provavelmente sempre foi verdade. Diz-se que todos os martírios pareciam mesquinhos a quem os presenciava. O século XIX não é uma exceção à regra.

Tudo relativo à minha tragédia tem sido hediondo, mesquinho, repugnante, carente de estilo; até os nossos trajes nos tornam grotescos. Somos os patetas da dor.

Somos os palhaços cujos corações foram despedaçados. Somos especialmente designados para apelar ao senso de humor. No dia 13 de novembro de 1895, fui trazido de Londres para cá. Das duas até as duas e meia, naquele dia, permaneci na plataforma central do entroncamento de Clapham vestido com o uniforme da prisão, e algemado, para que o mundo me observasse. Fui levado da enfermaria do hospital sem ser avisado de coisa alguma. De todos os objetos possíveis, eu era o mais grotesco. Quando me viam, as pessoas riam. A chegada de cada trem aumentava a multidão. Nada podia exceder a diversão do público. Isso aconteceu, claro, antes de saberem quem eu era. Assim que foram informados, riram ainda mais. Por meia hora eu permaneci lá, sob a chuva cinzenta de novembro, cercado pelo escárnio da multidão.

Ao longo de um ano depois que isso aconteceu, eu chorei todos os dias, no mesmo horário e pelo mesmo espaço de tempo. Isso não é algo tão trágico quanto possa soar para você. Para aqueles que estão na prisão, as lágrimas são parte da experiência cotidiana. Um dia na prisão em que não choramos é um dia no qual nosso coração está duro, não um dia em que nosso coração está feliz.

Bem, agora realmente estou começando a sentir mais pena daquelas pessoas que riram do que de mim mesmo. É claro que quando me viram eu não estava no pedestal, mas no pelourinho. Mas é muito sem imaginação a natureza que só se importa com as pessoas em seus pedestais. Um pedestal pode ser algo bem irreal. Um pelourinho é uma terrível realidade. Elas também deveriam saber como interpretar melhor a dor. Tenho dito que atrás da dor há sempre dor. Seria ainda mais sábio dizer que atrás da dor há sempre uma alma. E escarnecer de uma alma que sofre é algo horrendo. Na estranhamente simples economia do mundo, as pessoas apenas recebem aquilo que dão, e àquelas que não têm imaginação suficiente para penetrar a mera exterioridade das coisas e sentir compaixão, que compaixão pode ser dada senão a do desprezo?

Escrevo estes detalhes da forma como fui transferido para cá simplesmente para que se entenda o quão difícil tem sido para mim extrair algo de meu castigo que vá além de amargura e desespero. No entanto, preciso fazê-lo, e de quando em quando vivo momentos de submissão e resignação. Toda a primavera pode estar escondida em um único botão, e o ninho próximo ao chão da cotovia pode trazer a alegria que é anunciar a chegada de muitas auroras rubras e róseas. Então, talvez o restante da beleza que ainda me resta esteja contido em algum momento de rendição, rebaixamento e humilhação. Eu posso, em todo caso, apenas proceder nas linhas de meu próprio desenvolvimento e, aceitando tudo o que me aconteceu, tornar-me digno disso.

As pessoas costumavam dizer que eu era individualista demais. Agora devo ser muito mais individualista do que nunca. Preciso extrair de mim muito mais do que jamais obtive e pedir ao mundo muito menos do que jamais pedi. Efetivamente, a minha ruína não veio de uma vida muito individualista, mas de uma vida pouco individualista. A única atitude vergonhosa, imperdoável e para sempre desprezível em minha vida foi me permitir apelar à sociedade por ajuda e proteção. Sob o ponto de vista individualista, haver feito tal apelo já teria sido ruim o suficiente; mas qual desculpa jamais se pode dar por tê-lo feito? É claro, uma vez que coloquei as forças da sociedade em movimento, a sociedade virou-se para mim e disse: "Você, que todo esse tempo viveu desafiando as minhas leis, agora apela a essas leis por proteção? Você verá essas leis cumpridas ao máximo. Você verá seu apelo ser atendido". O resultado é que estou na prisão. Certamente nenhum homem jamais caiu de forma tão ignóbil, e por meio de tão ignóbeis instrumentos, como eu caí.

O elemento filisteu da vida não é a falha na compreensão da arte. Pessoas encantadoras, tais como pescadores, pastores, trabalhadores do arado, camponeses e afins, não sabem nada sobre arte e são o verdadeiro sal da terra. É filisteu aquele que defende e sustenta as forças da sociedade que são pesadas, incômodas, cegas e mecânicas, e que não reconhece uma força dinâmica quando a encontra, seja em um homem ou em um movimento.

As pessoas achavam terrível de minha parte que eu me entretivesse com as coisas más da vida, em um jantar, e que encontrasse prazer em sua companhia. Mas na época, do ponto de vista pelo qual eu, como um artista na vida, me aproximava delas, elas eram deliciosamente sugestivas e estimulantes. O perigo era metade da excitação... Minha relação como artista era com Ariel. Dediquei-me a lutar contra Caliban...

Um grande amigo meu – uma amizade firme de dez anos – veio me ver algum tempo atrás, e me disse que não acreditava em uma única palavra do que era dito contra mim, e quis que eu soubesse que ele me considerava totalmente inocente, a vítima de um medonho complô. Explodi em lágrimas diante do que ele disse e lhe falei que, enquanto havia muita coisa entre as acusações definitivas que fosse realmente falsa e a mim transferida por revoltante malícia, ainda assim minha vida fora repleta de prazeres perversos e que, a não ser que ele aceitasse isso como um fato a meu respeito e o compreendesse ao máximo, eu não poderia mais ser seu amigo, ou jamais estar em sua companhia. Foi um terrível choque para ele, mas nós somos amigos, e não construí essa amizade sobre afetações falsas.

Conforme afirmo em algum lugar de *Intenções*, as forças emocionais são tão limitadas em extensão e duração quanto as forças da energia física. A pequena taça que é feita para levar tanta coisa pode reter esse tanto e nada mais, embora todos os tonéis púrpura de Borgonha sejam enchidos de vinho até a borda e os homens estejam enfiados até os joelhos ao pisar as uvas nas vinhas rochosas da Espanha. Não existe erro mais comum do que o de pensar que aqueles que são as causas ou os cúmplices de grandes tragédias compartilham sentimentos igualmente trágicos: nenhum erro mais fatal do que esperar isso deles. O mártir em sua "camisa de chamas" pode estar olhando para a face de Deus, mas, para aquele que está empilhando os gravetos ou arrumando as achas para a explosão de toda a cena, não tem mais significado do que a morte de um boi para o açougueiro, ou a derrubada de uma árvore para o carvoeiro na floresta, ou a destruição de uma flor para aquele que está ceifando a relva com uma foice. Grandes paixões são para os grandes de alma, e grandes eventos podem ser vistos apenas por aqueles que estão a seu nível.

* * * * *

Não conheço nada em todo o gênero do drama mais incomparável do ponto de vista da arte, nada mais sugestivo em sua sutileza de observação, do que a maneira como Shakespeare constrói Rosencrantz e Guildenstern. Eles são amigos de escola de Hamlet. Foram seus companheiros. Trazem consigo memórias de dias agradáveis passados juntos. No momento em que passam por ele na peça, Hamlet está vacilando sob o peso de um fardo intolerável para alguém de seu temperamento. Os mortos voltaram armados da sepultura para impor a ele uma missão ao mesmo tempo muito grandiosa e muito dura. É um sonhador e é convocado a agir. Tem a natureza do poeta, e lhe solicitam que enfrente a vulgar complexidade de causa e efeito, a vida em sua realização prática, da qual ele nada conhece, e não a enfrentar a vida em sua essência ideal, a qual ele conhece tanto. Ele não tem ideia do que fazer, e sua loucura é fingir loucura. Brutus usou o desvario como uma capa para ocultar a espada de seu objetivo, a adaga de sua vontade, mas para Hamlet a loucura é apenas uma máscara sob a qual se esconde a fraqueza. Na concepção de suas fantasias e brincadeiras, ele vê a chance de se demorar. Segue jogando com a ação como um artista joga com a teoria. Transforma-se no espião de suas próprias ações e, ouvindo suas próprias palavras, sabe que não são nada além de "palavras, palavras, palavras". Em vez de ser o herói de sua própria história, ele procura ser o espectador de sua própria tragédia. Descrê em tudo, incluindo si mesmo, e no entanto sua dúvida não o ajuda, posto que ela não surge do ceticismo, mas de uma vontade dividida.

De tudo isso, Guildenstern e Rosencrantz não têm ideia alguma. Eles fazem mesuras e sorriem despretensiosamente, e o que um diz, o outro ecoa com a mais tola entonação. Quando, enfim, por meio da peça dentro da peça, e das brincadeiras dos fantoches, Hamlet "captura a consciência" do rei e arranca o infeliz e aterrorizado homem de seu trono, Guildenstern e Rosencrantz não veem, nesta conduta, nada além de uma muito lamentável violação da etiqueta da Corte. Isso é o máximo que podem atingir na "contemplação do espetáculo da vida com as emoções apropriadas". Estão perto do segredo do amigo e nada sabem disso. Tampouco seria de qualquer utilidade lhes contar. Eles são as pequenas taças que podem reter um tanto e nada mais. Perto do final da peça, é sugerido que, capturados por uma astuta armadilha montada para outros, eles encontraram, ou podem ter encontrado, uma violenta e súbita morte. Mas um final trágico desse tipo, embora tocado pelo humor de Hamlet com algo da surpresa e da justiça da comédia, realmente não é para pessoas assim. Elas nunca morrem. Horácio, para "contar a história de Hamlet e de sua causa aos insatisfeitos", "se ausenta da felicidade por algum tempo, E neste mundo áspero respira dolorosamente", morre, mas Guildenstern e Rosencrantz são tão imortais quanto Angelo e Tartufo e deveriam se unir a eles. São a contribuição da vida moderna para o antigo ideal de amizade. Aquele que escrever uma nova *Sobre a amizade* deve encontrar um nicho para eles e exaltá-los em prosa tusculana. São figuras cristalizadas para sempre. Censurá-las revelaria "falta de apreciação". Estão apenas fora de sua esfera: isto é tudo. Na sublimidade da alma não há contágio. Pensamentos elevados e emoções elevadas são isolados por sua própria existência.

★ ★ ★ ★ ★

Devo ser libertado, se tudo correr bem comigo, por volta do final de maio, e espero ir imediatamente para alguma cidadezinha à beira-mar no exterior com R... e M...

O mar, como diz Eurípedes em uma de suas peças sobre Ifigênia, lava as manchas e as feridas do mundo.

Espero passar pelo menos um mês com meus amigos e encontrar paz e equilíbrio, e um coração menos perturbado, e um temperamento mais suave. Sinto um estranho anseio pelas grandes e simples coisas primevas, como o mar, para mim não menos uma mãe do que a terra. Parece-me que todos nós contemplamos demais a natureza, mas pouco vivemos com ela. Constato grande sensatez na atitude dos gregos. Eles nunca tagarelavam sobre poentes, ou debatiam se as sombras na relva eram realmente da cor de malva ou não. Mas viram que o mar era para o nadador, e a areia, para os pés do corredor. Amavam as árvores por causa das sombras projetadas por elas, e a floresta pelo seu silêncio ao meio-dia. O vindimador coroava seu cabelo com hera para que pudesse se proteger dos raios de Sol ao se inclinar sobre os jovens rebentos, e, para o artista e o atleta, os dois tipos que a Grécia nos deu, eles trançavam grinaldas com as folhas do amargo louro e da selvagem salsa, que sem isso não teriam utilidade alguma para os homens.

Chamamos a nossa época de utilitária e não conhecemos a utilidade de uma coisa sequer. Esquecemo-nos de que a água pode limpar, e o fogo, purificar, e de que a terra é mãe de todos nós. Como uma consequência, nossa arte pertence à Lua e joga com as sombras, enquanto a arte grega pertence ao Sol e lida diretamente com as coisas. Sinto-me seguro de que nas forças elementares há purificação, e quero voltar a elas, e viver em sua presença.

É claro, para alguém tão moderno quanto eu, *"Enfant de mon siècle"*[2], a mera contemplação do mundo sempre será algo encantador. Estremeço de prazer quando penso que, no mesmo dia de minha libertação da prisão, ambos o laburno e o lilás estarão florescendo nos jardins e que eu verei o vento agitar, e encher de beleza inquieta o dourado oscilante de um, e lançar ao redor o roxo pálido das plumas do outro, de modo que todo o ar será a Arábia para mim. Lineu caiu de joelhos e chorou de alegria quando viu pela primeira vez a extensa charneca de alguma região elevada inglesa tornada amarela pelas

---

2 "Filho de meu século". (N. do T.)

pardas e aromáticas flores do tojo comum; e eu sei que, para mim, a quem as flores são parte do desejo, há lágrimas à espera nas pétalas de alguma rosa. Sempre foi assim para mim, desde a minha infância. Não há uma única cor escondida no cálice de uma flor, ou na curva de uma concha, à qual, por alguma sutil simpatia pela verdadeira alma das coisas, a minha essência não responda. Como Gautier, tenho sido sempre um daqueles *"pour qui le monde visible existe"*[3].

Contudo, agora tenho consciência de que, por trás de toda essa beleza, por mais satisfatória que seja, existe algum espírito oculto do qual as formas e os contornos pintados são apenas modalidades de manifestação, e é com esse espírito que desejo entrar em harmonia. Tornei-me cansado da expressão articulada dos homens e das coisas. O místico na arte, o místico na vida, o místico na natureza, é isso que estou procurando. É absolutamente necessário para mim encontrá-lo em algum lugar.

Todos os julgamentos são julgamentos da vida de alguém, assim como todas as sentenças são sentenças de morte; e por três vezes eu fui julgado. Na primeira vez, deixei o tribunal para ser preso; na segunda, para ser levado de volta à casa de detenção; e, na terceira vez, para ser trancafiado em uma cadeia por dois anos. A sociedade, da forma como foi constituída por nós, não terá lugar algum para mim, não tem nenhum para oferecer; mas a natureza, cujas doces chuvas caem igualmente sobre os

---

3   "Para quem o mundo visível existe." (N. do T.)

justos e os iníquos, terá fendas nas rochas onde eu possa me esconder e vales secretos em meio a cujo silêncio eu possa chorar sem ser perturbado. Espalhará estrelas pela noite, para que eu possa caminhar na escuridão sem tropeçar, e soprará o vento sobre minhas pegadas para que ninguém que me queira mal consiga me rastrear: ela vai me lavar em grandes águas e, com ervas amargas, tornar-me pleno.

INSTRUÇÕES SOBRE *DE PROFUNDIS*[1], POR OSCAR WILDE

Prisão de Sua Majestade, Reading
Primeiro de abril de 1897.

Meu querido Robbie, estou lhe enviando um manuscrito separado desta carta que, espero, vá chegar em segurança. Assim que você o tiver lido, quero que você o copie cuidadosamente para mim. Existem muitas razões pelas quais desejo que isso seja feito. Um será o suficiente. Quero que você seja meu executor literário no caso de minha morte, e que tenha total controle sobre minhas peças, meus livros e papéis. Assim que eu descobrir se tenho direito legal a realizar um testamento, eu o farei. Minha esposa não entende a minha arte, nem se pode esperar que ela tenha qualquer interesse nisso, e Cyril é apenas uma criança. Então naturalmente recorro a você, como na verdade faço com tudo, e gostaria que você ficasse com todas as minhas obras. A renda que as vendas vão produzir podem ser alocadas ao crédito de Cyril e Vivian. Bem, se você é meu executor literário, você precisa estar de posse do único documento que fornece qualquer explicação para meu extraordinário comportamento… Quando você tiver lido a carta, verá a explicação

---

[1] Carta contendo as instruções fora escrita em um mês antes da libertação de Oscar Wilde. (N. do T.)

psicológica para o percurso de uma conduta que, de fora, parece uma combinação entre a absoluta idiotia e a vulgar bravata. Algum dia a verdade terá que ser conhecida – não necessariamente durante a minha vida... Mas não estou preparado para me sentar, para sempre, no grotesco pelourinho em que me puseram; pela simples razão de que herdei de meu pai e minha mãe um nome de alta distinção na literatura e na arte, e não posso permitir que tal nome seja eternamente degradado. Não defendo minha conduta. Eu a explico. E também há, em minha carta, certas passagens que tratam do meu desenvolvimento mental na prisão, e da inevitável evolução do meu caráter e de minha atitude intelectual diante da vida, que ocorreu lá; e quero que você e outros que ainda se mantêm ao meu lado e têm afeto por mim saibam exatamente em qual estado de espírito e de que forma espero enfrentar o mundo.

Claro, sob um ponto de vista, eu sei que no dia de minha libertação vou apenas passar de uma prisão a outra, e há momentos em que todo o mundo a mim não parece maior do que a minha cela, e tão cheio de terrores como ela.

Ainda assim, acredito que no início Deus criou um mundo para cada homem em separado, e é nesse mundo, que está dentro de nós, que devemos procurar viver. De qualquer forma, você vai ler aquelas passagens de minha carta com menos dor do que os outros. É claro que não preciso lembrar você do quão fluido é algo pensado dentro de mim – dentro de todos nós – e da substância evanescente de que são feitas as nossas emoções. Mesmo assim, vejo uma espécie de objetivo possível na direção do qual, por meio da arte, posso progredir. Não é improvável que você possa me ajudar.

Quanto à forma de realizar a cópia: é claro que é muito extensa para qualquer amanuense enfrentá-lo: e sua própria caligrafia, querido Robbie, em sua última carta parece ter sido elaborada especialmente para me recordar de que a tarefa não lhe deve caber. Acredito que a única coisa a se fazer é sermos totalmente modernos e datilografá-la. É claro que o manuscrito não deve sair de seu controle, mas será que você não poderia pedir à Mrs. Marshall para que envie uma das garotas datilógrafas dela – mulheres são mais confiáveis, já que não têm memória para o que é importante – a Hornton Street ou a Phillmore Gardens, para fazê-lo sob sua supervisão? Garanto-lhe que a máquina de escrever, quando utilizada com expressão, não é mais irritante do que o piano quando tocado por uma irmã ou parente próxima. Na verdade, muitos daqueles mais devotados à domesticidade a preferem. Desejo que a cópia seja feita não em papel de gramatura fina, mas em um bom papel como aqueles utilizados nas peças, e uma ampla margem rubricada deve ser deixada para correções... Se a cópia for feita em Hornton Street, a datilógrafa pode ser abastecida por uma treliça da porta, como os Cardeais quando elegem um Papa; até que ela saia para a varanda e possa dizer ao mundo: "*Habet Mundus Epistolam*"; pois de fato é uma carta Encíclica, e assim como os Touros do Santo Pai são nomeados a partir de suas letras iniciais, ela pode ser conhecida como a "*Epistola: in Carcere et Vinculis*".

... Na verdade, Robbie, a vida na prisão faz com que vejamos as pessoas e as coisas como elas realmente são. É por isso que somos transformados em pedra. São as pessoas do lado de fora que são enganadas pelas ilusões de uma vida em constante movimento. Elas andam às voltas com a vida e contribuem para sua irrealidade. Nós, que estamos imóveis, tanto vemos quanto sabemos.

Independentemente de a carta apaziguar ou não naturezas e cérebros agitados, para mim ela fez bem. Eu 'limpei meu seio de muitas coisas perigosas'; para emprestar uma frase do poeta que uma vez você e eu pensamos em resgatar dos Filisteus. Não preciso lembrar você de que a mera expressão é, para um artista, o único e supremo modo de vida. É pela declamação que vivemos. Das muitas, muitas coisas pelas quais tenho que agradecer ao Governador, não há nenhuma pela qual eu seja mais grato do que a permissão para escrever de tal forma a você, e na maior extensão que eu desejasse. Por quase dois anos eu havia carregado dentro de mim um fardo crescente de amargura, e agora me livrei de grande parte dele. Do outro lado dos muros da prisão existem algumas árvores tristes, negras, manchadas de fuligem, que acabam de dar botões de um verde quase estridente. Eu conheço muito bem o que está acontecendo com elas. Estão encontrando expressão.

Sempre seu,
Oscar

Fonte: Dante MT Std

#Novo Século nas redes sociais

gruponovoseculo.com.br